赤間清広
Akama Kiyohiro

中国
異形のハイテク国家

毎日新聞出版

中国
異形のハイテク国家
目次

イテク国家

中国　異形のハ

本書に登場する中国の都市

北京
（序章、第2、4、6、7、8章）
天津
雄安新区
（第5章）
河北省
鄭州
（第4章）
陝西省
西安
（第8章）
江蘇省
河南省
無錫
（第2章）
四川省
成都
（序章）
湖北省
武漢
（序章）
杭州
（第2、6章）
重慶
九江
（序章）
湖南省
浙江省
貴州省
長沙
（第4章）
江西省
貴安新区
（第2、8章）
福建省
広東省
深圳
（第3、6、7、8章）
台湾
ベトナム
香港（第7章）

装丁・本文デザイン＝宮川和夫
組版＝キャップス

中国
異形のハイテク国家

◎本文中の写真はすべて筆者による撮影、年齢・肩書は取材当時のものです。

コロナ禍前の武漢

序章

「新型コロナウイルス」

２０２０年は新型コロナウイルスの感染拡大が世界を覆いつくした悪夢の年として歴史に刻まれることになった。

コロナ禍は21年になっても収束を見せず、世界は言い知れぬ不安に包まれている。

そんな中、「我々が世界の救世主になる」と息巻いている国がある。

中国だ。

20年9月、新型コロナの影響でオンライン開催となった国連総会。習近平国家主席が送ったビデオメッセージもその高揚感にあふれていた。

「75年前、中国は世界反ファシズム戦争の勝利に歴史的貢献をし、国連創設を支持した。今日、中国は同様の責任感を堅持して国際的な感染症対策に積極的に身を投じ、世界の安全を守るため力を捧げる」

世界反ファシズム戦争とは、第二次世界大戦を指す。中国は「戦勝国」として国連安全保障理事会の常任理事国に名を連ねた。

75年後、欧米を中心に新型コロナの再拡大が続く中、中国はいち早く感染拡大を抑え込むことに成功。感染対策から経済の再始動へとギアを切り替えている。

低迷する世界経済にとって中国経済の復調は数少ない明るい光となっている。

また、欧米の大手製薬会社と肩を並べ、ワクチン開発でも世界の先頭を走っており、途上国へワクチンの提供を表明するなど影響力拡大に向けた布石を着々と打っている。

米国をしのぐ「強国」の実現を目指してきた習氏にとって、コロナ対策での「重大な戦略的成果」（習氏）は自身の主導してきた政策の正しさを証明するものに感じたことだろう。

中国内陸部の拠点都市・湖北省武漢《ぶかん》で世界で最初に新型コロナウイルスの大規模感染が明らかになったのは20年1月。その時、筆者は毎日新聞の中国特派員として北京にいた。以来、日々深刻化する中国の感染状況と、それを驚異的なスピードで抑え込む中国の手法を中国内部から観察してきた。

そこで目の当たりにしたのは、中国政府が国家戦略として育成してきたハイテク技術がコロナ対策の「武器」となり、一気に社会が作り変えられていくすさまじい光景だ。

同時に、そのハイテク技術が、中国政府の強権的な政策と結びつき、個人情報など市民の権利がないがしろにされていく実態も肌で感じた。

あの時、中国で一体、何が起きていたのか。

まずは時計の針を20年1月に戻してみよう。

中国で最大のイベントといえば、何といっても春節（旧正月）だ。春節の大型連休には都会に働きに出た人たちが両手にいっぱいのお土産を抱え、一斉にふるさとへ帰っていく。

総人口14億人の中国で、春節連休期間中の移動者は延べ30億人に達する。20年の春節連休は1月24日から始まる予定だったが、その直前の20日、習近平国家主席は突然、「重要指示」を出した。

「武漢市などで発生した新型コロナウイルスによる肺炎を重視すべきだ。各方面の力を集めて予防と制御を行い、疫病の蔓延《まんえん》を断固、食い止めねばならない」

武漢で原因不明の肺炎が流行している――。

こうした情報は19年秋から医療関係者を中心にじわじわと広まっていた。20年に入ると噂《うわさ》は市民にも届き始めた。

武漢で夫と子供の3人で暮らす李玉さん（45）は1月10日過ぎ、北京に住む妹からの電話で異変を知った。

武漢駅。中国内陸部を代表する交通の要衝だ＝2016年

武漢市内の産業団地。半導体メーカーなどハイテク企業が集中している＝2018年

「マスクをし、手を洗おう」と呼びかける横断幕

巨大ショッピングモール。営業中だが、客の姿はない＝いずれも北京市内で2020年2月

新型コロナの感染拡大で人が消えた北京市内＝2020年2月

武漢の肺炎に関する話題がネット上で飛び交っており、心配になり連絡したのだという。

しかし、李さんは当時はあまり気に留めなかったという。春節を前に、武漢から約２２０キロ離れた江西省九江の実家に里帰りするための準備に忙しかったためだ。

李さんだけではない。武漢市当局もこの時点では事態をそこまで深刻に捉えていなかった節がある。

武漢市幹部は後に「対策を怠っていたわけではない。我々に発表の権限がなかっただけだ」と釈明しているが、事態が一気に動き始めたのは武漢を視察した政府の専門家チームが19日に北京に戻り、習氏に報告してからだ。

習氏は20日の「重要指示」に続き、23日には武漢の都市封鎖（ロックダウン）に踏み切った。以来、４月８日に都市封鎖が解除されるまで２カ月半にわたり、１１００万人の武漢市民は自宅から出ることすらままならない厳戒態勢下に置かれた。

武漢だけではない。北京、上海などの主要都市でも外出自粛《じしゅく》が呼びかけられ、華やかな春節の飾り付けで彩られた繁華街から一斉に人が消えた。

影響は中国にとどまらない。コロナ禍は瞬く間に中国以外にも広がり、深刻なパンデミック（世界的大流行）に発展していったのは周知の通りだ。

ただ、震源地の中国の立ち直りは早かった。

習氏が武漢に入り、「ウイルス拡散の勢いはすでに抑え込んだ」と宣言してみせたのは都市封鎖から1カ月半後の3月10日。日本が全国に緊急事態を宣言する1カ月も前のことだ。

ここから中国はマスクなど医療物資の海外輸出など「コロナ外交」を本格化し、パンデミックの「発生国」から「救世主」へと立ち位置を変化させていく。

変化したのは中国の外交姿勢だけではない。

市民生活も新型コロナを契機に大きく変貌《へんぼう》していった。それを後押ししたのがハイテク技術だ。

健康コードを使う劉さん

20年7月上旬、北京市の金融機関に勤める劉健さん(31)は夕食のため訪れた市内の飲食店でスマートフォンを取り出すと、店先に掲げられたQRコードを読み込んだ。

スマホには劉さんの顔写真とともに「異常なし」という緑色の文字が表示され、それを確認した店員はようやく劉さんの入店を許可した。

劉さんが使っているのは、スマホ所持者に感染の恐れがないかを自動判定する「健康コード」と呼ばれる接触確認アプリだ。

表示される文字が緑色ならば問題ないが、黄色や赤になれば「感染の疑いあり」として一定期間、自宅などでの隔離を強いられる。

開発したのは中国IT大手、アリババ集団。

創業は１９９９年。英語教師だった馬雲(ジャック・マー）氏ら18人の若者が浙江省杭州市内のアパートの一室で事業をスタートさせ、ネット通販を武器に業績を急拡大した。

2014年には米ニューヨーク証券取引所にも上場し、時価総額でアップルやアマゾンなど世界のIT大手と肩を並べる巨大企業に成長した。

アリババが杭州市政府と協力して「健康コード」を同市内に試験導入したのは2月11日。武漢の都市封鎖からわずか3週間足らずという早さだ。

普及のスピードも猛烈だった。2月19日には導入都市は100を超え、国内の主要都市に広がった。

アリババと対抗するように、中国版LINE（ライン）とも呼ばれる無料通信アプリ「微信（ウィーチャット）」を展開する中国IT大手、騰訊控股（テンセント）も同様のサービスを実装、普及をさらに加速させた。

日本政府も新型コロナの感染拡大を受け、接触確認アプリ「COCOA（ココア）」の普及を図っているが、不具合が相次ぐなどインストール数は伸び悩んでいる。

これに対し、中国の健康コードの普及率はほぼ100%だ。

飲食店や観光地など多くの施設が健康コードでの緑マークの確認を入場条件にしている

ことともあるが、何よりアリババ、テンセントが持つ既存のプラットフォームを活用したことが大きい。

この2社には共通点がある。

アリババは「支付宝（アリペイ）」、テンセントは「微信支付（ウィーチャットペイ）」という電子決済サービスを展開しており、現金に代わって中国の主要な決済手段として定着している。中国人が持っているスマホには必ず、この二つのアプリがインストールされていると言っていい。

いまや中国の社会インフラとなった両アプリの新機能として健康コードを追加する形をとったことが、短期間での普及を可能にした最大の要因だ。

現在の中国で健康コードなしで生活するのは難しい。

劉さんの一日を覗いてみよう。

出勤時、職場のあるオフィスビルの入り口で、まず健康コードの提示が求められる。

ランチタイムに職場近くのレストランで食事をとる際も同様だ。

休日に家族で遊びに行く時にも健康コードは欠かせない。

万里の長城や故宮（紫禁城）といった北京を代表する観光地ではいずれも入場の際、健康コードを示して自分の安全性を証明する必要がある。

健康コードがあらゆる場所で「通行証」代わりになっている実態がわかるだろう。万が一、感染者が発生しても健康コードの情報からすぐに濃厚接触者を割り出すことができる。これが中国政府の新型コロナ封じ込めの大きな武器となった。

だが、健康コードがもたらすのはメリットだけではない。

健康コードは当初、アリババ、テンセントが各地方政府と協力し、地域の実情に応じた様々なバージョンを開発、展開してきたが、肝心の危険性判定にどのような情報が使われているのか詳細は明らかにされていない。

ただ、推測することはできる。

中国では市民一人ひとりに身分証番号が割り振られている。携帯電話を契約する際にも身分証番号の登録が必要で、スマホの情報と個人が完全にひもづけられている。

スマホの移動履歴や電波の発信情報などをたどれば、対象の個人がいつ、どこにいたかを簡単に割り出すことができるのが実情だ。

ネット通販やスマホアプリの利用時にも携帯電話番号の登録が必須になる。携帯電話番号を通して個人の行動が丸裸にされる仕組みだ。

買い物、食事、移動……日々、大量の個人情報が政府やＩＴ企業に蓄積されているとされ、判定にはこのビッグデータを活用しているとみられる。

筆者も健康コードの情報集約の一端を垣間見る経験をした。

中国では政府機関などが開く記者会見に出席する際、ＰＣＲ検査の陰性証明書の提示を求められることが少なくない。

経済統計の発表会見に出席するため、北京市内の医療機関でＰＣＲ検査を受けた。翌日には「陰性」の判定が出たが、その翌週、何気なく自分のスマホをチェックしていると、健康コードにいつの間にかＰＣＲ検査の受診日と医療機関名、検査結果などが登録されていることに気が付いた。

外国人に身分証番号はないが、携帯電話の契約などには代わってパスポート番号の登録が必要になる。健康コードによる情報網からは、外国人といえど逃れることはできない。

健康コードの大義名分は「新型コロナの感染拡大防止」にある。

しかし、当局はこれを市民の行動監視に利用しようと目論んでいるようだ。

新型コロナの感染拡大がほぼ収束した後も、当局が健康コードを手放そうとしないことを見てもそれは明らかだ。

一方で、健康コードに対する市民の抵抗感は驚くほど少ない。

「健康コードで個人情報が政府にすべて握られる怖さはないのか」

劉さんに聞いたことがある。

返ってきたのは「気分は良くない。でも、安全確保のためにはしょうがないじゃないか」という答えだ。

同じ質問を複数の中国人にしてみたが、大半が同様の反応だった。

警察国家の中国では街のいたるところに監視カメラ網が張り巡らされている。スマホのデータを使った個人情報の収集も公然の秘密だ。

「いまさら抗議しても仕方がない」

健康コードの普及の陰には、そんな諦めにも似た市民の空気がある。

「感染が広がっています。屋外で人が集まるのは禁じられています」

「今すぐそこを離れなさい」

武漢が都市封鎖された直後、テレビニュースで流れた映像が話題を集めた。

撮影場所は麻婆豆腐など四川料理の本場として知られる四川省・成都。屋外でマージャンをしている住人に上空から厳しい声が飛んだ。

映像を撮影し、警告の音声を流しているのは地元の警察当局が導入した警備用ドローンだ。

遠隔操作が可能なドローンであれば人同士の接触を避けることができ、安全に市内をパトロールできる。

ドローンは全国の警察に配備され、上空からの監視の目が一気に強化された。

警察だけではない。

中国ではコロナ禍を機に「非接触」が流行語となり、様々な新しいサービスが街中に登場した。

北京を代表するオフィス街・国貿。

高層ビルが建ち並ぶ大通りを、小型の配送車がゆっくりと走っていく。

中国で200店舗以上を展開するギョーザチェーン店「小恒水餃」が出前用に導入した無人の自動配送車だ。

中国ではほとんどの飲食店が自宅や会社まで料理を届ける出前サービスを行っている。

配送を受け持つのは「出前騎手」と呼ばれる配達員。しかし、受け渡しの際にどうしても人同士の接触が生じてしまう。

中国で感染拡大が深刻化した直後には、配達員が出前の料理を路上に置いて数メートル離れ、それを確認してから注文主が路上の料理を受け取るという、今にして思えばバカバカしい光景が全国で繰り広げられた。

自動配送車であれば、そんな煩わしいことをせずに済む。小恒水餃の担当者は「安心して出前が利用できると顧客にも好評です」と話す。

配送車を開発したのは、2018年創業の北京のベンチャー企業「新石器慧通科技（ネオリックス）」。

主力は、観光地などでジュースや菓子を売る自動販売車の製造だ。複数のセンサーで人などの障害物を探知して衝突を避ける自動運転技術をギョーザの配送車に応用した。

20年以降、中国の市街地では自動運転の小型車を見かける機会が増えた。コロナ禍を契機に実用化が一気に進んだ形だ。

ネオリックスにも出前用に加え、市街地の警備や団地の消毒作業用など自動運転の専用車の注文が相次いでいるという。

ロボットなどを使った「非接触サービス」は元々、無人コンビニなどの形で一部実用化

ギョーザの自動配送車＝2020年3月

されていた。しかし、人を使った従来のサービスに比べてコストが圧倒的に高く、普及はあまり進んでいなかった。コロナ禍がそのハードルを飛び越える大きなきっかけとなったようだ。

19年11月に中国で商用利用が始まったばかりの新世代通信技術「5G」もコロナ対策で大きな力を発揮した。

武漢市内の医療機関が感染者の急増で大混乱に陥る中、北京にある人民解放軍総医院の専門チームは5Gで武漢市内の病院とつなぎ、患者の遠隔治療にあたった。重症患者を中心に専門家20人が24時間体制で対応したという。

中国がコロナ対策でハイテク技術をここまで活用できたのは、偶然ではない。「我が国は経済発展の段階に応じた『新常態（ニューノーマル）』に適応していかなければならない」

習主席は14年5月、視察先の河南省で、中国経済は大きな構造改革を迫られていると強調した。

安い人件費を武器に年率10％を超える高度経済成長を謳歌《おうか》してきた中国経済だが、国内の人件費は年々、上昇を続け、輸出を主体にした下請け型の経済モデルは既に限界に達しつつあった。

代わって習氏が注目したのが、次世代産業をリードするハイテク技術の活用だ。15年5月にはハイテク産業育成策「中国製造2025」を発表し、次世代技術で世界をリードする「製造強国」を目指す方針を鮮明にした。

「中国製造2025」では特に発展に力を入れる10の重点分野が指定されている。5Gやロボット技術、遠隔診療や医薬品の開発などコロナ禍で注目を集めた技術の多くがそこに含まれている。

「強国」を目指し、中国は官民をあげて自国の経済や技術力を世界の最先端に押し上げる新時代の「赤いダイヤ」をひたすら探し続けてきた。

その成果がコロナ禍で力を発揮した格好だ。

一方で中国のハイテク技術の向上は米国の強い警戒を招いた。トランプ大統領という過激な指導者の登場もあって、世界の2大経済大国が互いの製品に追加関税をかけあう「貿易戦争」に突入する皮肉な結果につながった。

しかし、中国が現在の路線を放棄することはないだろう。

逆に欧米が新型コロナ制圧に苦しむ現状は、冒頭の習氏の国連総会発言に象徴されるように、中国が独自戦略を一層加速させる原動力となっている。

習氏、そして中国が「強国」を強く意識するきっかけになったのは、08年のリーマン・ショックだった。

米国発の深刻な金融危機の拡大に、日米欧など先進7カ国だけでは対処できず、中国など新興国を加えた主要20カ国・地域（G20）の首脳会議（サミット）がワシントンで急きょ開催された。

ここで主役となったのが中国だった。リーマン・ショック直後、中国は4兆元（当時のレートで約57兆円）という空前の大規模な景気刺激策を打ち出して国内経済の落ち込みを防ぎ、世界経済の救世主ともてはやされた。

新型コロナは中国に、再び世界経済の救世主となるチャンスをもたらしたと言っていい。「新型コロナの感染拡大で欧米諸国は有効な対策を示せなかった。我々とどちらが優れているか比べるまでもない」

国連総会直後、ウィーチャットを通じて話を聞いた中国政府の元高官は興奮した口調でこう強調してみせた。

中国は欧米や日本など先進国とは異なる独自のコロナ対策で大きな成果をあげることに成功した。

しかし、情報を積極的に公表しない「秘密主義」の体質もあり、実際に何が行われているのか目にすることは難しい。

コロナ対策だけではない。「中国製造２０２５」の下、中国経済は一体、どこに向かおうとしているのか。

その実態を探るには、「赤いダイヤ」の発掘現場を探るのが一番の早道だ。

ハイテク開発の最前線、官民協力の実態、次々と生まれるベンチャーの素顔、そして強権的な中国政府の姿。

4年半にわたって中国国内を訪ね歩き、異形の経済大国の素顔に迫った。

カメラに写る車や歩行者の情報を自動で解析、記録していくハイクビジョンの監視システム画面

第2章

丸裸にされる個人情報／「データ」で狙う国際覇権

中国国内で稼働している監視カメラは2億台を優に超える。国内の治安維持に何よりも重きを置く中国当局にとって、秘密兵器とも言える存在だ。しかし、監視カメラでどのような情報が集められ、どう活用されているのかはなかなか見えてこない。

取材を続けていた2019年秋、面白い話を耳にした。

情報をくれたのは上海の西約120キロに位置する江蘇省無錫《むしゃく》に住む女子大学生（22）だ。

市内にある大学での授業を終え、家に帰る途中、たまたま通りかかった繁華街に設置されたモニターに見覚えのある顔が大きく映し出されているのを目にしたという。

「普段からよく遊んでいる友人の顔写真でした。モニターを見た瞬間、『えっ、嘘でしょ』と叫んでしまって」

すぐにスマートフォンでモニターの写真を撮り、その友人に送信すると「確かに私のようだ」という答えが返ってきた。

「友人は『何で私が』と怯《おび》えていました。私も同じように顔をさらされる可能性がある。他人事じゃない」

無錫で何かが起きている。すぐに現地に向かった。

高速鉄道の無錫東駅。まずは駅前で客待ちをしていたタクシーの運転手にモニターについて尋ねてみた。

運転手歴10年という劉さんはこともなげにこう言った。

「ああ『交通違反者暴露台』のことだろ？　市内にたくさんあるよ」

劉さんに連れて行かれたのは無錫でも有数の繁華街。周囲にはデパートやおしゃれな飲食店が並び、大勢の市民でにぎわっている。

無錫の「交通違反者暴露台」＝2019年

その中心地にある交差点の歩道側に、噂のモニターはあった。１００インチはあるであろう巨大サイズだ。ただ、驚かされたのは大きさではない。そこに映し出されていた映像の異様さだ。

表示されていたのは、赤信号を無

視して交差点に進入するバイクの姿と、そのバイクを運転する女性の顔をクローズアップした写真。恐らくモニター脇に設置された監視カメラが撮影したものだろう。

モザイクなどは一切、かかっていない。顔写真の脇にはその女性の名前と身分証番号の一部まで表示されている。プライバシーが丸裸にされ、街中で公開されている状況だ。

女子大学生が見たのも、これと同じような内容だったのだろう。モニターに映る友人の顔写真に思わず声をあげてしまったのも、うなずける。

地元メディアによると、モニターを設置したのは地元警察。信号無視などが横行し、事故が絶えなかった無錫の交通マナーを改善するため、17年8月にまず市内3カ所に設置。その後、主要な交差点に拡大していったという。

最新鋭の監視カメラが24時間体制で路上を監視し、AI（人工知能）を駆使した最新のシステムで交通違反をした歩行者や自転車、バイクなどを自動で検出。撮影した画像の顔写真と、当局が保有する市民の個人データを照らし合わせて本人を特定していく。

撮影から個人を特定し、モニターへ表示するまで、かかる時間は数分程度。特定作業の精度は95%以上だという。違反者には後日、警察から連絡が入り、罰金が命じられる仕組みだ。

罰金は信号無視程度であれば、日本円にして数百円ほど。しかし、罰金を払うことよりも、大勢の市民に「さらし者」にされた精神的ショックの方がはるかに大きいだろう。

「以前は車も歩行者も交通マナーが本当に悪かった。でも、このシステムのおかげで信号を無視して急に飛び出してくる自転車や歩行者が減り、安心して運転できるようになった」

案内してくれた劉さんはモニターの設置には「大賛成」だと言いつつ、こう付け加えた。

「どこで警察に見られているかわからないから、俺たちも荒っぽい運転はできなくなったけどな」

同様の仕組みは上海、南京、洛陽など他の大都市でも導入され、一定の成果をあげているという。

確かに中国の交通マナーは悪い。歩行者の信号無視は当たり前。対する自動車側もスピード違反や無理な割り込みは日常茶飯事だ。見た目はバイクと変わらない電動スクーターが歩道を我が物顔で走り回り、筆者も何度、ひかれそうになったかわからない。

交通マナーの向上は中国の社会的課題と言ってよく、その改善の必要性は理解できる。しかし、当局が選択した解決法はあまりに過激だ。

モニターに顔をさらされた女子大学生の友人は今でも不安が消えない。

「これまで警察に自分の顔写真のデータを提供した覚えはない。信号無視をしてしまったことは申し訳ないが、どうやって私の顔写真と個人情報をひもづけたのか。『自分はいつも当局に監視されている』と初めて恐怖を覚えました」

高度化する中国の監視システム。その狙いは交通違反者を取り締まることだけにとどまらない。

気づかないうちに国民の様々な情報が当局にすい上げられ、そのビッグデータをもとに、さらに「監視の目」が強化されていく。「治安維持」の名目の下、国民の個人情報が当局に筒抜けになっている実態がある。

無錫で「交通違反者暴露台」の運用が始まった17年のニュース映像をチェックしていると、市内に設置された暴露台に「ＨＩＫＶＩＳＩＯＮ（ハイクビジョン）」という文字が刻まれていることに気がついた。

ハイクビジョン。中国語名は杭州海康威視数字技術。現在のような「監視社会」中国を形作るうえで、同社は欠かせない存在だ。

創業は01年。当初は画像圧縮技術を生かした記録装置の販売を主力にしていたが、07年に監視カメラシステムの販売を始め、海外展開を本格化すると、わずか4年で世界トップシェアに躍り出る大躍進を遂げた。

08年の北京夏季五輪、10年の上海万博、16年の主要20カ国・地域（G20）首脳会議――中国当局の威信がかかった国際的なイベントには例外なく同社の監視システムが導入され、会場周辺の治安維持に目を光らせてきた。

15年には習近平国家主席が同社を視察に訪れている。中国首脳の視察先には必ず、当局の政策に深く関わる企業や地域が選ばれる。中国の歴代指導者の中で別格の存在を意味する「核心」と位置付けられ、絶大な権力を掌握する習氏であればなおさらだ。ハイクビジョンと当局との関係の深さがここからも読み取れる。

中国企業の取材は総じて難しい。何度、取材依頼書を送っても大抵は無視されておしまいだ。

取材を通じて親しくなった、ある中国企業の幹部は「メディアの取材を受け、万が一、その報道内容が当局の気にさわれば、面倒なことになりかねない。自然と取材には慎重にならざるを得ない。海外メディアならなおのことだ」とその裏側を説明する。ハイクビジョンのように当局と密接な関係にある企業の場合、取材の壁はさらに高くなる。

しかし、その壁を突破しなければ中国企業の実態は見えてこない。

様々なルートを使って同社への「潜入」を試みていた2018年、耳寄りな情報が入ってきた。日本の財界訪中団の視察先にハイクビジョンが入っているというのだ。

訪中団を主催するのは日本経団連、日本商工会議所、日中経済協会の3団体。日本経済界の訪中プロジェクトとしては最大規模で、メンバーも日本を代表する主要企業の会長など財界首脳が勢ぞろいする。

それを迎える中国側も日本企業誘致などへの期待から、日程のアレンジに努力を尽くす。主要な訪問先となる北京では訪中団と中国首脳が会談することが恒例になっているが、よほどの事情がない限り中国ナンバー2の李克強首相が対応し、200人を超える訪中団メンバーとの記念撮影の時間まで設けてくれる。習主席が経済関連の訪中団を相手にすることはまずないため、中国にとっては最大限の「おもてなし」といえる。

中央政府がこうなのだから訪中団の視察先に選ばれた地方政府は、「視察を受け入れてほしい」と地元の有名企業を必死に口説くことになる。浙江省や杭州市当局が説得を重ね、ハイクビジョンの重い扉が開いたのだろう。

これ幸いにと訪中団に同行し、杭州へ向かった。

ようやくたどり着いたハイクビジョン。本社に入る前から、他の企業とは違う雰囲気が漂っている。

ハイクビジョン本社＝2018年

本社周辺の道路上には無数の監視カメラがずらり。実証試験用だと思われるが、一本の電信柱に10個近い監視カメラが並ぶ光景はやはり不気味だ。

訪中団が立ち入りを許されたのは、来訪者向けの展示室。主力商品や最新の監視技術が紹介されており、ここだけでも同社の「実力」をある程度、測ることができる。

　街灯がほとんどない深夜の道路。普通の監視カメラであれば、人が歩いていてもほとんど識別できないだろう。しかし、同社の解析ソフトを使うと周辺の景色がまるで昼間のような明るさで映し出される。

ハイクビジョンの監視カメラ映像

　監視カメラの前を車が通った。深夜にもかかわらず運転席に座る人物の表情まで鮮明にわかる。車が通るたび解析ソフトが車種やナンバーを次々と読み取っていく。情報はすべて記録され、他の監視カメラの情報とともにビッグデータとして蓄積される仕組みだ。

「システムに車両のナンバ

ーを打ち込めば、全国に張り巡らされた監視カメラ網の情報の中から該当車両の通行記録を抜き出せる。いつ、どこにいたのかが瞬時にわかります」と同社の担当者。すでに中国全域でこのシステムが稼働しているという。

歩行者も当然、監視対象だ。監視カメラがとらえた人物一人ひとりの性別や身長、服装などあらゆる情報が解析、記録されていく。こうして集められた膨大な情報が最終的に当局にすい上げられていくわけだ。

展示室の片隅に、不思議な映像が映し出されていた。

１００人を超える男女の顔写真と名前が表示され、それぞれが赤や黄色、白の線で結ばれている。

「これは何ですか」と担当者に尋ねると「ビッグデータを使った人間関係の分析実験です」という答えが返ってきた。

「赤い線で結ばれている人は親密な関係にあることを示しています。黄色、白と色が薄くなるほど、関係性も薄くなっていきます」

解析には監視カメラの映像に加え、買い物記録やスマホの通話履歴など個人を取り巻く様々な情報が使われる。

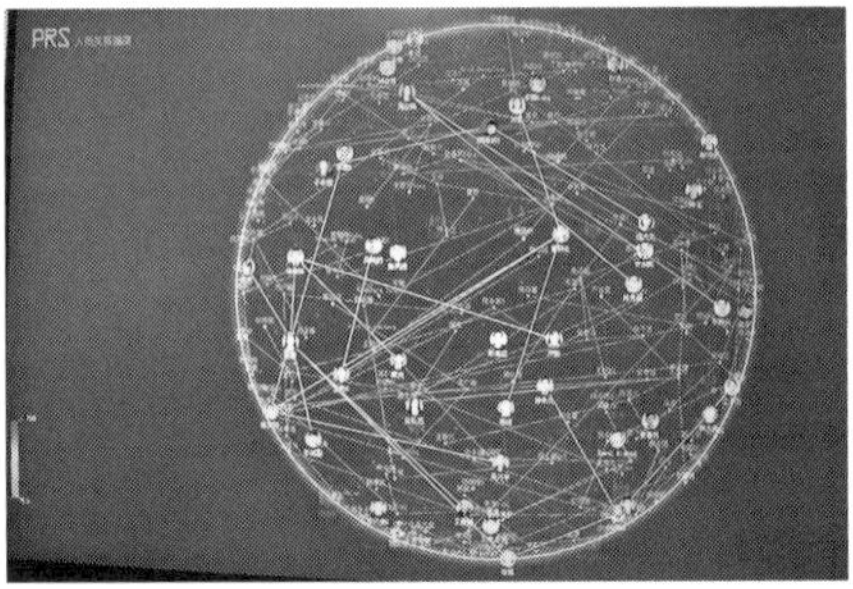

ハイクビジョンの人間関係分析のデモ画面

「一緒に街を歩いていた」「同じ店で買い物をしていた」など共通点をデータ化、分析することで人間関係を洗い出していくのだという。実用化されれば、プライバシーなど完全になくなってしまう。

「こんなシステムが実現されないことを祈ります」。筆者が嫌みまじりにささやくと、担当者はこう言って笑った。

「個人情報の問題があるので実用化こそしていませんが、現在の技術レベルで言えば、もう十分に実現は可能です」

監視社会を支えているのはハイクビジョンだけではない。

その有力な一社が、11年創業の北京曠視科技（メグビー）だ。

同社が独自開発した顔認証システム「Ｆａｃｅ＋＋」はＡＩ（人工知能）が個人の顔情報を読み取り、これを「カギ」や「財布」代わりに利用できるのが売りだ。

無人スーパーでお金を払ったり、ドアのカギを開け閉めしたり。中国では既に様々な場面で「顔情報」の利用が始まっている。当然、当局の監視システムにもだ。

北京に本社を置くメグビーの取材許可が下りた。

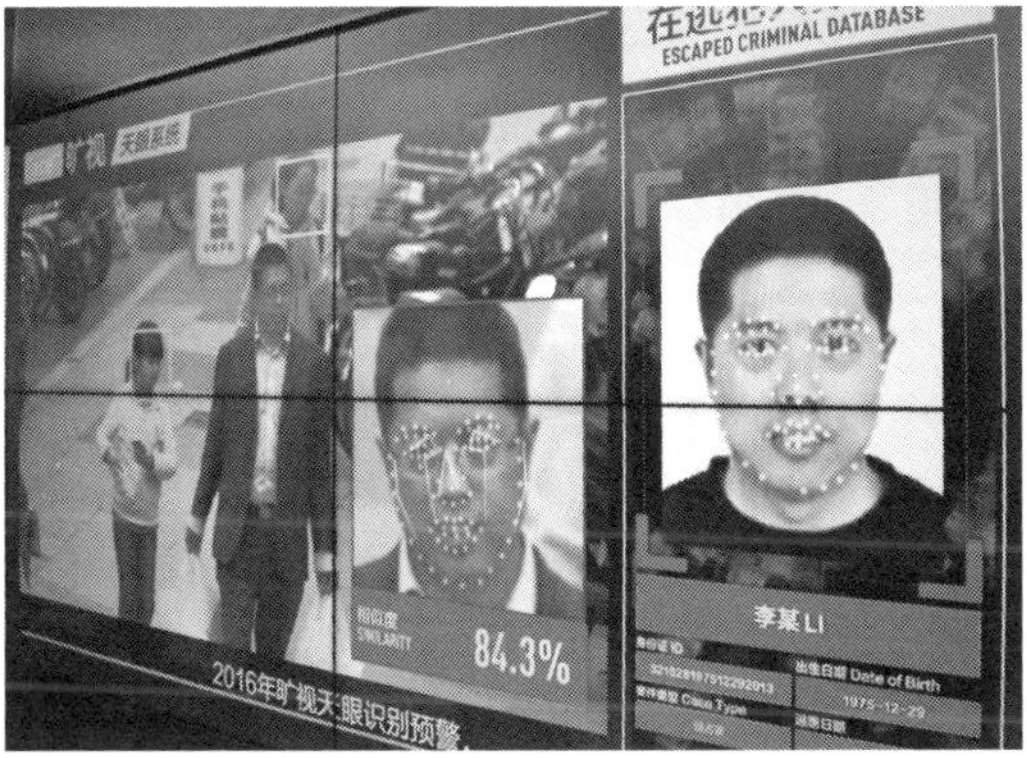

「Face++」の犯罪者捜査画面

来訪者用に準備されたデモ画面にはハイクビジョン同様、市街地に設置された監視カメラの映像が映し出されていた。

歩道を行き交う人々の情報をＡＩが分析。すべての顔情報をデータベース化していく。指名手配犯などの顔写真を「Ｆａｃｅ＋＋」を組み込んだ監視システムに登録しておけば、該当者がカメラの前を通っただけで、ただちに当局に連絡が入る。

まるでＳＦ映画のような話だが、このシステムは既に中国で実用化され、18年9月段階で５０００件を超える犯罪を解決に導き、１万人以上の逮捕につながったという。

メグビーの蔣燕副総裁

「顔認証」技術は日本を含め、各国が開発にしのぎを削っているが、開発スピードや実用化の点で中国勢が他を圧倒しているのが実情だ。ＩＴ企業だけでなく、中国の主要企業は軒並み、顔認証技術の高度化に大金をつぎ込んでいると言っていい。

何が中国企業を駆り立てるのか。

メグビーの蔣燕副総裁は「顔認証技術の開発で重要になるのは、いかに多くのデータを収集、蓄積し、活用できるかにある」と指摘する。

当局による日常的な監視が市民生活に定着している中国では、顔認証データを含む個人情報を第三者が取得することに対する市民の抵抗感が薄い。日本や欧米では難しいビッグデータの利用法も中国では可能だ。

「ビッグデータを取り巻く状況が、中国と海外とではまるで違う。開発環境の面から言えば中国ははるかに有利な位置にある」と蔣副総裁。「我々のライバルは海外勢ではない。中国企業なんです」

ハイクビジョンが短期間で世界最大の監視カメラメーカーに飛躍できた理由もここにある。

中国政府が監視の目を光らせるのは現実社会だけではない。インターネットやスマホアプリを通じた情報統制も急速に強化されている。

中国ではパソコンやスマホでグーグルやユーチューブなどのURLを打ち込んでも、アクセスすることはできない。

「金盾（グレートファイアウォール）」と呼ばれる中国独自のネット監視システムが常時稼働し、当局が承認していないサイトには接続できない仕組みになっているためだ。

治安維持を名目に、党・政府に都合の悪いニュースや話題が国内に広がることを防ぐ狙いだが、外国発のニュースだけでなく、市民の日常的な投稿までもがしばしば「言葉狩り」の対象になる。

その代表が米ディズニーの人気キャラクター「クマのプーさん」だ。

習近平氏とオバマ米大統領（当時）が並んで歩く写真が、プーさんと、その友だちのトラのティガーのようだと話題になったことが当局の怒りを買い、「プーさん」自体が中国のネットでNGワードになってしまった。「プーさん」と習氏を関連付けた写真やコメントを投稿すると、今でもすぐに削除対象となるほどだ。

17年には中国の情報統制を決定づける法律が施行された。インターネット安全法だ。中国で収集したデータはすべて中国国内に保管するよう義務づけられ、海外にデータを持ち出すには当局による審査を受けなければならなくなった。

企業が収集した膨大なデータに当局が無断でアクセスできるようになる恐れがあるとして、日本経団連や日本商工会議所を含め世界の54団体が中国政府に慎重な対応を求めたが、一顧だにされなかった。

無論、外国企業もインターネット安全法から逃れることはできない。

米アップルはインターネット安全法施行を受け、早々に中国国内にデータセンターを設置する方針を打ち出した。「中国政府に屈するのか」と強い批判を浴びたが、アップルにとって中国は主力商品である「アイフォーン」の巨大販売市場。中国当局に逆らい、市場から締め出される事態になれば経営への打撃は計り知れない。

「巨大な国内市場」をカードに使い、外国企業を屈服させる手法は中国の常とう手段だ。中国当局の逆鱗《げきりん》に触れれば、民間企業は容赦なく排斥される。

直近で犠牲となったのは韓国だ。韓国では16年、在韓米軍の「終末高高度防衛（THAAD）ミサイル」配備計画が具体化。これに反発した中国政府は露骨な報復措置に打って出た。

韓国への団体旅行を禁止し、中国人旅行客の「爆買い」需要に頼っていた韓国の観光地を干上がらせると同時に、消防機器の点検などの名目で中国国内にある韓国系企業の拠点に対する立ち入り検査を繰り返した。

特に配備地となるゴルフ場を提供したロッテグループは悲惨だった。

韓国系企業の窮状《きゅうじょう》を聞きつけ、北京市内にある同グループ系スーパー「ロッテマート」を訪ねると、既に看板は取り外され、閉店を告げる数枚の張り紙が店先に掲げられていた。周辺は高層マンションが林立する好立地。近くにある食材店の主人に話を聞くと「品ぞろえも豊富で、いつも大勢の人でにぎわっていた」というが、改装を理由に店を閉めるとそのまま再開することなく閉鎖に追い込まれたという。

ロッテグループは中国に100店舗以上のスーパーを展開してきたが、中国当局による営業停止命令や消費者の不買運動にさらされ、事実上の撤退に追い込まれている。

THAAD問題の余波は3年以上が経過した現在も続いており、世界シェアトップのサ

中韓関係の悪化で閉店に追い込まれた韓国ロッテグループ系のスーパーマーケット＝北京市内で 2017 年 8 月

ムスン電子のスマホ販売は中国ではベスト5にも入っていない。世界最大のスマホ市場から事実上、締め出しをくらっている状況だ。

日系など海外自動車大手がコロナ禍の低迷からいち早く回復した中国自動車市場の恩恵を受ける中、韓国・現代自動車だけはいまだ販売低迷にあえいでいる。

米国政府による中国企業の締め出しの動きに、中国側は「市場ルールに反する」と猛反発したが、外国企業への不当な介入は中国の方が明らかに強権的だ。

強気で知られる米ＩＴ界の雄、アップルがインターネット安全法の施行を受け、いち早く白旗をあげたのも韓国系企業の二の舞を避ける狙いがあったのだろう。

ビッグデータは治安維持の武器であると同時に、中国にとって巨大なマネーを生み出す「金の卵」でもある。

中国内陸南部に位置する貴州省。

高い山々に囲まれた高台の地形は一年を通じて気温が低く、目立った産業もない「中国の最貧地域」として知られていた。

「省都・貴陽だけは多少栄えているけれど、そこから少し離れると完全な山。農産物の育ちも悪く、生きていくのがやっとだった」

李明琴さん（48）の実家は貴陽から数十キロ離れた山間部にある。周囲には数戸の家があるだけで働く場所はなく、大人になってからは貴陽市内のホテルで長年、住み込みで働いてきた。貴陽市内には「脱貧困」のポスターがあふれていたという。

しかし、ここ10年で「貴州は一変した」という。

何が貴州を変えたのか。「俺のふるさとに答えがあるよ」という李さんに誘われて、貴陽から車を走らせた。

車で10分も走ると市街地は途切れ、周囲は山深い景色に包まれる。点在する集落はどこも寂れて見える。朽ちかけた古い建物も多い。「最貧地域」というのも納得だ。

1時間ほど経ったころだろうか、突然、視界が開けた。

目の前に現れたのは高層ビルが立ち並ぶ巨大都市。片側3車線の道路は植栽で彩られ、おしゃれなホテルやショッピングセンターまである。街全体が古びた印象の省都・貴陽よりはるかに都会だ。

ここはビッグデータ産業を中心としたハイテクの都「貴安新区」。習近平指導部が14年から国家プロジェクトとして整備を進めてきた人工都市だ。

標高1000メートル超の高原を切り開いて作られた新区の計画面積は約1795平方キロ。何と大阪府（約1900平方キロ）に匹敵する。この広大な敷地にアップルを含む国内外の主要企業がデータセンターを置き、ビッグデータ関連を中心に1万社を超えるハイテク企業が拠点を構えているという。

貴州がビッグデータ産業の最適地に選ばれたのは「貧しさ」の原因だった過酷な自然環境ゆえだった。

貴州の固い地盤と気温の低さは、データセンターの設置場所としては理想的。山深い地形を利用して作られた水力発電所は低価格での電力供給を可能にし、大量の電気を消費するビッグデータ産業にとって好都合だった。

新区にはビッグデータの新しい可能性を探る官民の研究所が相次ぎ拠点を構え、15年には企業が集めたデータを匿名《とくめい》化して売買できる中国初の「ビッグデータ交易所《こうえきしょ》」が設置された。交易所で取引されるデータは製造や小売、金融、天気にいたるまで4000種類以上。貴州を皮切りに北京や上海、深圳《しんせん》、成都などにも同様の交易所が開設され、政府公認で情報の売買が行われている。

貴州省の「貴安新区」＝2017年10月

中国の調査会社、中商産業研究院によると、15年に約3000億元（約4・8兆円）だった中国のビッグデータ関連産業規模は20年に1兆元を突破した。その中核を担う貴州省の19年の経済成長率は8・3％。中国全体（6・1％）の成長率を大きく上回り、省別では中国トップだ。

李さんは17年にホテルを辞め、実家に近い新区の一角に食堂を構えた。いまも高層ビルの建設ラッシュが続く新区には中国各地から多くの労働者が流入し、食堂は連日にぎわっている。「完全な荒地だったのに、わずか数年で大都会ができあがった。本当に夢のようだよ」

新区の中を歩き回ったが「脱貧困」のポスターはどこにも見当たらない。代わりにあふれていたのは、習指導部が掲げる「中国の夢」というスローガンだ。新区には米国をしのぐ「強国」を目指す中国の野望がこめられている。

21世紀は「データの世紀」と言われる。ビッグデータはＡＩや自動運転などとともに、ハイテク覇権のカギを握る中核技術の一つだ。

中国もその重要性を強く認識している。「デジタル経済において、データは石油のようなものだ」19年6月、大阪で開かれたG20首脳会議に出席した習氏は「中国はデジタル経済大国となった」と自国の優位性を誇示してみせた。

貴州では毎年春、「中国国際ビッグデータ産業博覧会」と呼ばれるイベントが開かれる。来場者は10万人以上。毎回、１０００億元（約１・６兆円）を超える契約が成立する巨大商談会だ。

19年の博覧会で、習氏は「中国はビッグデータ産業の発展を重視している。新たな成長の原動力と発展の道を、各国とともに追い求める」と祝賀メッセージを寄せた。その裏ではビッグデータを使った新たな外交戦略への布石が着々と打たれている。

習氏は13年に国家主席に就任した直後、現代版シルクロード経済圏構想「一帯一路」を打ち出した。

かつて中国と中央アジア、欧州をつないだ交易路「シルクロード」にちなみ、沿線国を中心とした緩やかな経済連合を形成しようという構想だ。中国の友好国を世界に広げることで、米国など先進国を中心とした既存の世界秩序に風穴を開ける狙いがある。

「中国の夢」と書かれたスローガンがあふれる貴安新区＝2017年10月

一帯一路の対象地域はシルクロード沿線国にとどまらず、次第に南米やアフリカなど世界全域に拡大。いまや中国の外交戦略の根幹に位置付けられている。

一帯一路の構成国は140カ国以上。その吸引力の源泉は、インフラ整備を中心とする巨額のチャイナマネーの魅力だった。

しかし、ここにきて習氏は「21世紀のデジタルシルクロードを作る」と宣言し、ビッグデータ、さらに言えば中国国内で培ってきた高度な監視技術の提供を「エサ」に関係国への働きかけを強めている。

中国企業の監視システムはシンガポールなど50カ国以上に「輸出」され、中国流のハイテクによる徹底した個人監視の仕組みが世界に浸透しつつある。

米政府は19年10月、中国新疆《しんきょう》ウイグル自治区で暮らすイスラム教徒のウイグル族に対する中国政府の監視、弾圧に協力したとして、ハイクビジョンやメグビーなど中国ハイテク企業8社に対する禁輸措置を発動した。

高度化する中国の監視技術や、ビッグデータを利用した新たな外交戦略をけん制する狙いがあるとみられる。

しかし、中国が開発の手を緩める気配はない。中国は自身の優位な立場を十分に認識しているためだ。

「米国は中国のビッグデータ産業を警戒しているが、規制の強い欧米や日本では中国のような監視システム、ビッグデータの活用はできない。この有利な立場を自ら手放すなど愚の骨頂だ。この分野で中国の優位はもはや揺るぎない」

貴安新区内のビッグデータ関連企業で面会した中国政府関係者はこう言い切った。

無錫の「交通違反者暴露台」が世界中に拡散する未来も、もはや絵空事ではない。

ファーウェイ本社の敷地内に放たれたブラックスワン

第3章
「ファーウェイ」舞い降りたブラックスワン

「我々は今、大きな困難に直面している。絶え間ない制裁が続き、経営に大きな圧力が生じている。今は『生き残る』ことこそが我々の使命だ」

2020年9月23日。上海で開かれたイベントで、悲壮な決意を語る男がいた。中国の通信機器大手、華為技術（ファーウェイ）の郭平・輪番会長だ。

ファーウェイは創業者の任正非・最高経営責任者（CEO）の下、実際の業務は3人の「輪番会長」が担っている。

郭氏ら取締役会で選出された3人の副会長が半年ごとに交代しながら会長職を務めることで経済情勢の目まぐるしい変化に対応可能な弾力性のある経営体制を築く狙いだ。しかし、同社はそのユニークな経営体制をもってしても乗り越えられない危機に直面している。米政府の相次ぐ経済制裁で、主力のスマートフォンや通信機器の製造に不可欠な外国製の半導体などの入手が困難な状況になっているためだ。

対策として半導体の自力生産など海外依存からの脱却を急いではいるが、米国による矢継ぎ早の「攻撃」（同社幹部）に対応が間に合わないのが実態だ。

ハイテク産業をめぐる米中の覇権争いが激化する中、中国ハイテク業界を代表する存在となったファーウェイとはそもそも、どんな会社なのか。なぜ米国はそこまでファーウェイを目の敵《かたき》にするのか。

実態を探るため、ファーウェイが本社を置く深圳に飛んだ。

深圳市南山区の住宅街に建つ古びたアパート。１９８７年、このアパートの２階でファーウェイは誕生した。

その中心となったのが任氏だ。中国の巨大ＩＴ企業の経営者は大学でデジタル工学などを学んだＩＴの専門家が多いが、任氏の経歴は異色だ。

ファーウェイ本社＝広東省深圳市で 2018年9月

日中戦争真っただ中の１９４４年、貴州省に生まれた。故郷は「中国で最も貧しい」と言われた同省の中でもさらに貧困地帯の山間部にあった。両親は教師だったが給料は安く、７人兄弟の長男だった任氏は貧しい生活を強いられたという。

高校での優秀な成績と両親の必死の援助もあり、重慶建築工程学院（現・重慶大学）に進学し、土木工学の勉強に打ち込んだ。

しかし、文化大革命が起きたことで任氏に再び試練が訪れる。

文化大革命では毛沢東主席に対抗する勢力は「資本主義の道を歩む実権派」（走資派）のレッテルを貼られ、毛氏を崇拝する「紅衛兵」などによる徹底的な弾圧を受けた。政治指導者や資本家に加え、文化人や知識人も攻撃対象になり、被害者は1億人を超えると言われる。

教師だった任氏の両親も「知識人」として紅衛兵につるし上げられ、凄惨《せいさん》な暴力のすえに思想改造を強いられたという。

苦学して大学を卒業した任氏は、土木工学関連の仕事に従事後、74年にフランスから技術導入した化学繊維工場の建設担当として軍の工兵部隊に入隊した。だが、両親の影響もあり任氏の仕事ぶりが評価されることはなかった。

状況が好転したのは、文化大革命を主導した「四人組」の失脚後だ。

中国では共産党へ入党し、そこで実力を認められることが出世の大きな条件となる。文化大革命の終結でようやく任氏は共産党員の資格を手にした。

軍や党で実力が認められ、82年には党の全国大会に招かれる栄誉を受けた。文化大革命で長く両親ともども不当な評価にさらされてきた任氏にとって、名誉回復への大きな一歩だったに違いない。

だが、軍隊生活は長く続かなかった。83年、政府の非戦闘部隊の縮小方針に伴い、所属していた工兵部隊自体が解散、任氏は退役を余儀なくされる。

その後深圳にある国有企業「深圳南海石油」の関連メーカーで物流業務の職を得たが、今度はここで巨額の詐欺事件に巻き込まれてしまう。「すでに市場経済が始まっていた外の世界になじむのに時間がかかった。失敗したり、だまされたりと散々な目にあった」。任氏は責任を問われ、わずか数年で会社を追われてしまう。

ファーウェイが創業した深圳市内のアパート

再び職を失った任氏は、生きるため自身で会社を起こすことを決意する。任氏を含む6人の仲間と手分けして2万1000元（現在のレートで約34万

円）をかき集め、87年に南山のアパートで設立したのがファーウェイの始まりだ。

創業当初の主力業務はセールス業。香港の会社と代理店契約を結び、輸入した電話局用の交換機を売り歩いた。

朝早くから夜遅くまで働き続け、冒頭の郭平氏が入社するなど社員も徐々に増え始めた矢先、またもトラブルが任氏を襲う。香港の会社が別の会社に売却され、代理店契約そのものが取り消されてしまったのだ。

主力業務を失った任氏は再び生き残りをかけ、交換機の自力生産に乗り出す。社内にR＆D（研究開発）部門を設立したのは92年。その2年後、ファーウェイを救う商品が生み出される。デジタル制御交換機「C＆C08」。これが大ヒットし、ファーウェイは通信機器メーカーとして飛躍するチャンスを作った。

「中国3大キャリア」と呼ばれる中国電信（チャイナテレコム）、中国移動（チャイナモバイル）、中国聯合網絡通信（チャイナユニコム）はすべて国有企業。そこと取引する通信機器メーカーも、中興通訊（ZTE）など国有企業が大半だ。

一方、ファーウェイは政府の出資が一切、入っていない民間企業。中国での競争環境は圧倒的に不利な状況からのスタートだったが、同社は技術開発力で数々の修羅場を切り抜けてきた。

ファーウェイの2019年の売上高は8588億元（約13・7兆円）で過去最大。対するZTEは907億元と10分の1にとどまっている。

深圳市坂田地区。

「C&C08」をヒットさせたファーウェイが1998年から整備を進めてきた同社の拠点だ。同社は自社の拠点を「キャンパス」と呼ぶ。「坂田キャンパス」の敷地面積は2平方キロ。東京ディズニーランド4個分に匹敵する広さだ。2020年8月には深圳地下鉄10号線が営業運転を開始し、坂田キャンパス前に「ファーウェイ駅」も開業した。

エリア内は10の区画に分かれ、本社やR&Dセンター、社員寮、研修施設などが集積している。車を使わなければ、とても回りきれない。

緑の多い敷地内にはレストランやカフェなども点在する。敷地内を歩いていると、文字通り大学のキャンパス内を散策しているような錯覚に陥った。

「優れた研究開発の成果は、いい環境の下でしか生まれない」

キャンパスには任氏のこんな持論が息づいているという。

理念だけではない。

任氏はファーウェイの憲法と言われる「ファーウェイ基本法」に、「売上高の10％以上を研究開発投資に充てる」方針を書き込んだ。

日本企業の中で突出した研究開発規模を誇る自動車メーカーでも、売上高に占める比率は5％前後だ。ファーウェイの目標がいかに高いかがわかるだろう。

実際、同社は基本法に基づき、毎年、巨額の研究開発投資を続けてきた。19年の投資額は1317億元（約2・1兆円、約190億ドル）にのぼるという。

国際会計事務所PwCの調査（18年）によると、世界の上場企業の研究開発投資のトップは米アマゾンで226億ドル。2位は「グーグル」を展開する米アルファベット（162億ドル）、3位は独フォルクスワーゲン（158億ドル）だ。

ちなみに日本勢のトップはトヨタ自動車の100億ドルだった。

ファーウェイは非上場のため単純比較はできないが、投資規模だけを見ればすでに世界のトップレベルにある。

「研究開発で世界をリードしている時、さらに先に行こうとする段階では『失敗してもいい』と励ます必要がある。皆さんが携わっている研究が役に立つかどうかを考える必要はない。未知の世界を探索することだけに専念すればいい。イノベーションに絶対的に正しいものはない。当たるまで掘るしかない」

18年11月、横浜市にあるファーウェイの日本研究所を訪れた任氏はこう強調した。

ファーウェイでは約19・5万人の社員のうち、半数の9・6万人が研究開発分野に携わっている。


研究開発にかけるファーウェイの「本気度」を象徴する施設がある。

深圳に隣接する東莞《とうかん》市にある「松山湖キャンパス」だ。

同市にはファーウェイの主力スマートフォン工場が置かれている。

このスマホ工場は過去にも何度か取材をしたことがあった。120メートルの生産ラインが整然と並び、基盤への部品の取り付けから組み立て、検査、梱包までが一つのライン上で完結する。一つの生産ラインだけで日産2400台のスマホが生み出されていく光景は確かに壮観ではあるが、他の企業の生産ラインと際立った違いは見出せなかった。

しかし、18年9月に暫定《ざんてい》オープンしてまもない「松山湖キャンパス」に入った途端、わが目を疑った。

ファーウェイが新しく開設した開発拠点「松山湖キャンパス」

「松山湖キャンパス」を歩いていると、まるで欧州に迷い込んだ錯覚に陥る

松山湖キャンパスを走る専用電車。社員の移動用に使われている

1・2平方キロの広大な敷地内に作り上げられたのは古い欧州の街並み。

緑であふれた湖の周囲に並ぶのはレンガ作りの建物。川には石の橋がかかり、登山列車風の赤い2両編成の電車が駆け抜けていく。

どう見ても開発拠点には見えない。テーマパークと言っても過言でない非現実的な世界が広がっていた。

キャンパス内にはパリ（フランス）、オックスフォード（英国）、チェスキークルムロフ（チェコ）など欧州の12の都市の街並みを再現。デザインは日本の日建設計に依頼したという。

教会風の建物に入ってみた。中にあったのは食堂だ。メニューを見ると麺類や野菜炒めなどいたって普通だが、初めて来た人はここが中国だとは信じられないだろう。

巨大な本社を有する中国企業は多いが、ここまで作り込んだ施設を完成させたケースは過去に例がない。

それも無理はない。

松山湖キャンパスの運用を開始した18年当時、ファーウェイは通信機器業界で北欧のノキア、エリクソンといったライバルに圧倒的な差をつけ「一人勝ち」に近い状態を手にしていたからだ。

その原動力となったものこそが、新世代通信規格「5G」だ。

通信技術の発達は、社会に大きな変化をもたらす。

一世代前の「4G」の実用化によってやり取りできる情報量が飛躍的に増加。動画配信など様々なサービスが生まれ、その送受信を担うスマホが生活に欠かせない存在になった。

5Gは4Gの100倍という圧倒的な通信速度を持つ。5Gが定着すれば、あらゆるモノがネットでつながるIoTの世界が現実になる。

自動運転など次世代技術の多くも5Gの普及を前提に青写真が描かれており、各国は5Gの開発にしのぎを削ってきた。

ファーウェイが5G開発に着手したのは09年。以来、2000人を超える専門技術者を投入し、5Gに関する主要特許の多くをいち早く押さえることに成功した。

同社は17年から企業別の特許出願数で世界一の座を守り続けているが、その多くが5G関連で占められている。

技術力だけではない。基地局など5G関連の通信機器のコスト面でもファーウェイ製品は「ノキアなどに比べ、数割安い」（欧州の通信機器メーカー）とされ、5G市場はほぼファーウェイの独壇場といった雰囲気すら漂っていた。

スマホ分野でも世界一の市場である中国を足掛かりに世界でシェアを拡大。サムスン電子（韓国）、アップル（米）を猛追していた。

まさに我が世の春を謳歌していたと言っていい。

その勢いを肌で感じながら、任氏のこだわりが散りばめられた「坂田キャンパス」「松山湖キャンパス」を歩いていると、あることに気がついた。

どちらのキャンパスにも数羽のコクチョウが放たれ、水辺を優雅に漂っている。

「ブラックスワン」は経済でよく使われるマーケット用語だ。

スワン（ハクチョウ）はかつて白い個体しかいないと信じられてきたが、オーストラリアで黒いスワンが発見されたことで常識が覆された。

これにちなみ、事前に予測することが困難なうえ、経済や経営に大きな打撃を与える事象のことを「ブラックスワン」と呼ぶ。

近年では08年のリーマン・ショックや、英国のEU（欧州連合）からの離脱がこれにあたる。1990年代の日本のバブル崩壊も代表的な「ブラックスワン」だ。

ファーウェイは、なぜ縁起がいいとは言えないコクチョウをキャンパスに放っているのだろうか。

案内してくれた社員に聞くと、任氏の指示なのだという。

社員の目につく場所にあえてコクチョウを置くことで「不測の事態に備えよ」と危機感をあおる意図があるのだろう。

筆者がコクチョウを目にしてから2カ月半後の2018年12月、実際にブラックスワンは舞い降りた。

任氏の実の娘でもある孟晩舟・最高財務責任者（CFO）が米国の要請を受けたカナダ当局に逮捕されたのだ。

筆者が任氏から「インタビューに応じる」と連絡を受けたのは、その直後だった。

米司法当局が孟氏にかけた容疑は、ファーウェイが関連会社を通じ、米国が経済制裁を課すイランと秘密裏に取引をしたというものだ。

孟氏は米国の金融機関に対し、「この関連会社とファーウェイは『無関係だ』と虚偽の説明をして違法な金融取引に巻き込んだ」というのが米国側の主張だ。

しかし、それを額面通り受け止める人はいないだろう。

米国と中国は18年7月、互いの製品に追加関税をかけ合う「貿易戦争」に突入。制裁と報復の応酬を繰り広げるなど対立を深めていた。

トランプ大統領（当時）は同年12月、主要20カ国・地域（G20）首脳会議出席のため訪れたアルゼンチンで習近平国家主席と会談し、貿易戦争を「一時停戦」に持ち込むことで合意した。

孟氏が拘束されたのは、ちょうど同じ日だ。

米中両政府の激しい駆け引きが続く中、ファーウェイが米国側の「カード」として利用された面は否定できない。

トランプ氏は中国政府とともに、中国企業にも批判の矛先《ほこさき》を向けてきたが、特にファーウェイに対する攻撃は執拗《しつよう》だった。

「ファーウェイ製の通信機器を通じて米国の個人情報がひそかに海外へ持ち出され、中国政府のスパイ活動などに利用されている」

トランプ政権はこう繰り返し、ファーウェイに対する制裁措置を立て続けに実行に移していった。

中国政府のハイテク産業育成策「中国製造2025」の重点分野には5Gが掲げられている。そのトップランナーであるファーウェイの存在感が世界で拡大していく「不都合な事実」がトランプ政権の警戒感を高める結果を招いたと言える。

任氏がインタビューに応じたのは、米国の一連の主張に反論するためであることは、すぐにわかった。

中国政府は17年に施行した国家情報法で、国民や民間企業に当局の情報収集への協力を義務づけている。米国がファーウェイの裏に中国政府がいると批判する根拠の一つとなっている。

それを任氏に尋ねると、色をなしてこう強調した。

「我々はお客様の利益に反することは行わない。仮に中国当局からデータを提出するよう要求があっても、それに応えることはない。私個人も、会社もそのような行為は決して許さない」

では、中国共産党との関係は？

任氏自身が共産党員であることは前述した通りだ。

ファーウェイ自体はどうなのか。

「中国共産党の規約はすべての企業に党組織を設立するよう定めている。しかし、（党組織が）経営や会社の管理に関わることはない。彼らの仕事は規律や法律、社内外のコンプライアンス徹底のためしっかりと教育・指導を行ってゆくことだけだ」

社内に党組織はあるものの、経営にはまったくタッチしていないのだという。

一代で巨大企業グループを作り上げたカリスマだけに、米中対立による経営への影響に関してはこう言って一笑に付した。

「ある程度、影響はあるが、その影響はさして大きくないだろう」

米国がファーウェイに禁輸措置を課したとしても「そうなれば我々は代替製品を作る。逆に米国にとって（輸出先がなくなり）不利な状況になるだろう」

しかし、その強気な姿勢とは裏腹に、普段、メディアの取材をほとんど受けない任氏が外国メディアの前に登場すること自体が、状況の深刻さを物語っていた。

実際、その後のファーウェイを取り巻く事態は深刻さを増す一方だ。

19年5月、米商務省はファーウェイを、米国の国家安全保障や外交政策上の懸念がある企業を列挙した「エンティティー・リスト（EL）」に追加した。

インタビューに答える創業トップの任正非氏＝2019年1月

EL掲載企業と取引するには米当局の許可が必要となる。だが、申請は原則、却下されるため、ファーウェイは米企業との取引が事実上、できなくなった。

禁輸措置を受けファーウェイは半導体など基幹部品の調達先を台湾企業などに移したり、第三国経由で米国製品を入手したりと対策を講じてきたが、米商務省は20年5月にファーウェイに対する禁輸措置を強化。米国の技術を使う企業とファーウェイとの取引まで禁止対象とする決定を下した。

半導体などの設計には米国製のソフトを使うケースが圧倒的に多い。強化措置によって台湾企業などからの半導体調達ルートも閉ざされた形だ。

同時進行でトランプ政権は日本や欧州など友好国に対し、5Gネットワークからファーウェイ製品を排除するよう働きかけを強めた。ファーウェイによる5G支配を突き崩すため、ありとあらゆる手段を講じていると言っていい。

中国政府関係者はトランプ氏が去り、バイデン政権に移行した現在でも「米国の対中強硬策に大きな変更はないだろう」と厳しい見方を崩さない。ファーウェイ包囲網は当面、崩れないと覚悟しているようだ。

「世界を驚かせる技術を開発し、状況を一変させるのがファーウェイらしいやり方だ」

ファーウェイ関係者は同社を取り巻く厳しい状況を認めつつ、こう決意を語る。

再浮上のカギとなるのはやはり、同社の研究開発力だ。

筆者はかつてファーウェイの5G技術の開発拠点の一つ「X（エックス）ラボ」を取材した経験がある。

中国では未来技術や次世代技術の開発に「X」の文字をあてることが多い。このラボの目的は5Gを使った様々な応用技術を探ることだ。

坂田キャンパス内にあるXラボの扉を開けると、ちょうど実験の真っ最中だった。

ここから1500キロほど離れた上海のXラボと5G回線で結び、遠隔操作の試験を行っているという。

上海と深圳の研究施設を５Ｇ回線でつないで行われている自動車の遠隔実験―広東省深圳市で2018年

深圳のラボにはハンドルやアクセル、ブレーキなどが備え付けられたモジュールが置かれている。まるでゲームセンターにあるレーシングゲームのようだ。

目の前のモニターに映し出されているのは上海のラボにある車に取り付けられたカメラの映像だという。

「試してみますか」。研究員に促され、筆者も運転席に座ってみた。

恐る恐るアクセルを踏み込むと上海にある車が動き出す。ハンドルを切ったり、ブレーキをかけたり、また加速したり。様々な操作をしてみたが、目の前に映る映像とのタイムラグはま

Ｘラボの王宇峰総裁＝広東省深圳市で2018年

ったく感じない。

「５Ｇはまだ実用化が始まったばかりの技術。いかに５Ｇ展開のコストを下げ、商業化、産業化につなげていくかが最大の課題です」

Ｘラボを統括する王宇峰総裁はラボの役割を次のように説明する。

「ファーウェイが持つ通信技術を外部に開放し、異業種の企業との連携を広げることで５Ｇの裾野《すその》を一気に拡大していくことにある」

Ｘラボには役割分担がある。

ファーウェイ側が担うのは通信技術だけ。実際の応用はＩｏＴに関心を持つ外部企業との共同開発の形を取っている。

取材時は米国のファーウェイ制裁が激しさを増す直前だったこともあり、提携先企業には医療機器大手フィリップス（オランダ）、自動車部品大手ボッシュ（ドイツ）など世界的な企業がひしめいていた。

遠く離れた医療機関同士を結んだ遠隔手術、小型無人機（ドローン）の遠隔操作などラボで開発が進む「未来の技術」は40を優に超えるという。

坂田キャンパスを取材した翌日、遠隔操作した車が置いてある上海のラボへ飛んだ。上海では3Dなど映像関連技術の開発に重点を置いているという。

ラボ内ではファーウェイ社員に交じって、協力企業の社員もパソコンに向かい、時に激しい議論を戦わせている。

映像ソフト開発などを手がける康得新複合材料（江蘇省）の丁仁国・研究総監は「5G関連技術を実用化するには、豊富なノウハウと人材を持つファーウェイと協力するのが最大の近道」と話す。

ファーウェイ本体に加え、外部の知見も積極的に取り込むことで同社が開発力を飛躍的に向上させてきたことがわかる。

関係者によると、ファーウェイの5G技術を求める海外の有力企業はいまだに多いという。中国企業は言わずもがなだ。国内外の企業を引き寄せるファーウェイの強さはまだ失われていない。

米国政府の強引な手法が中国の消費者の愛国心を刺激し、国内スマホ市場では現在、ファーウェイ製品が圧倒的な人気を集めている。

中国政府もファーウェイ向けの発注を急増させていると言われており、官民をあげた支援体制が構築されつつある。

ただ、それらは単なる時間稼ぎに過ぎない。

「Ｋｉｒｉｎ（キリン）」。ファーウェイが米国からの制裁を受け、自主開発したスマホ用半導体の名前だ。台湾積体電路製造（ＴＳＭＣ）に生産を委託した矢先、米国の制裁強化でＴＳＭＣとの取引ができなくなり、発注分の約半数しか確保できずにいる。

制裁の影響で米グーグルのスマホ用ＯＳ（基本ソフト）「アンドロイド」も使えなくなったため、同社は自社で「鴻蒙（ハーモニー）」と名付けた新ＯＳも開発した。

21年以降、同社製スマホのＯＳをハーモニーに切り替えていく方針だが、アンドロイド用アプリを使うことができないファーウェイのスマホがこれまで通り世界で好調な販売を維持できると見る向きは少ない。ファーウェイは通信機器と並ぶ経営の柱の一つを失いかねない危機にある。

起死回生のためには米国の制裁を乗り越える大きなイノベーションが必要になる。

何度もブラックスワンから復活してきた任氏とファーウェイは今回も成功を手にできるのか。21年は勝負の年だ。

自動運転タクシーの停留所＝上海市嘉定区で2020年9月

第4章

「自動運転」官民一体の中国流が塗り替える業界地図

２０２０年９月、上海市の西北部に位置する嘉定区。バスや自動車が頻繁に行き交う片側２車線の道路沿いに、変わった停留所を見つけた。

「自動運転車停留所」

しばらく待っていると、一台のタクシーが近づいてきた。一見すると普通の乗用車だが、天井部分にはカメラなど20を超えるセンサーが取り付けられている。

中国配車サービス最大手「滴滴出行」が20年６月に実用化した自動運転タクシー（ロボットタクシー）だ。

運転席に男性が座ってはいるが、ハンドルを触ることは一切、ない。センサーで集めた情報をＡＩ（人工知能）が分析し、最適な車線やスピードを自動で判断しているのだという。

一口に自動運転といっても、その水準は技術レベルに応じて５段階に分かれている。最も初歩的な「レベル１」は、一般に「運転支援」と呼ばれるものだ。運転するのはあくまで人間。システムは「障害物に接近すると自動で減速する」「車線からはみ出さない」といったサポートをしてくれる。

「レベル２」は前を走る車を自動で追うなどシステムがさらに高度化したものだが、レベル1と同様、主体はあくまで人間だ。

「レベル3」以降は人間ではなく、システムが運転の主体となる。

「レベル3」は高速道路など一定の条件下で、自動運転走行が可能。「レベル4」は一般道でも人が運転することなく、自動で移動してくれる。あらゆる状況でシステムが完全に運転を取り仕切れるようになるのが最高レベルの「レベル5」だ。

上海市内の公道を走る自動運転タクシー

滴滴出行のロボットタクシーは「レベル4」。中国政府の規制で運転席に「安全員」を配置する必要があるが、運転はほぼ完全に自動化されているという。

実際に試乗してみた。乗り心地は人が運転するタクシーと何ら変わらない。

車の流れに応じてスムーズに車線変更し、

信号に応じた発進、停止も難なくこなす。

歩道は家族連れや、犬を散歩する人など大勢の歩行者であふれているが、ロボットタクシーを気にする人はほとんどいない。

「実際に公道を走っても安全性に何ら問題はありません。信号待ちや走行状態も自然なので、車が自動運転で走っているだなんて、誰も思いませんよ」

運転席に座る安全員の男性は後部座席に座る筆者の方を振り返ってこう語った。

この間もロボットタクシーは混雑する道を時速40キロほどのスピードで走り続けている。運転席では誰も握っていないハンドルだけが右に左に小刻みに動いていた。

滴滴出行は12年創業。スマートフォンを利用した配車アプリで急成長し、16年にはライバルだった米ウーバーの中国事業を買収。中国の配車市場をほぼ独占した。

今や中国では一般のタクシーを呼ぶ時も滴滴出行のアプリを使うことが一般的になっている。街中で通りかかったタクシーに向かって手をあげてもほとんど止まってくれなくなった。同社のアプリがないと移動もままならないほど「依存」が進んでいる。

同社はこの有利な市場環境を生かして稼ぎ出した巨額のマネーを自動運転の研究につぎ

込んできた。

16年に自動運転の研究を本格化させると、17年には自動運転で先行していた米国に研究所を設置。現在は国内外で400人近い技術者を投入しているという。

滴滴出行の強みは資金力だけではない。

同社のアプリの利用者は5億5000万人超、1日当たりの利用件数は5000万件を超える。その一件一件の走行経路や所要時間などはすべてデータ化され、保存される。日々、中国全土のあらゆる道の情報が集積されていく仕組みだ。

自動運転車の開発には、様々な地形や天候、条件下でもAIが最適な判断を下せるよう、膨大な走行データを解析する必要がある。同社の走行データはまさに「宝の山」と言っていい。

その集大成とも言えるのが客を乗せて公道を走るロボットタクシーだ。今はまだ嘉定区の限定されたエリアでしか乗り降りできないが、徐々に営業エリアを広げ、30年には100万台のロボットタクシーを市場投入する計画だ。

ただ、収益化には厳しい現実が待ち受けている。

「自動運転の研究は『金を燃やす』ようなものだ」。自動運転の研究に取り組むある米国企業の関係者は筆者にこう漏らした。

自動運転に関する各国の規制は厳しく、たとえ「レベル5」の自動運転車を開発できたとしても市場投入のハードルは高い。

現在は大手自動車メーカーが「運転支援」技術を盛り込んだ車種を販売している程度で、多額の研究開発費を回収できるレベルにはいたっていないのが現実だ。

中国メディアによると、滴滴出行がこれまでに自動運転車の開発に投じてきた資金は400億元（約6400億円）近い。市販車をロボットタクシーに改造するだけで1台100万元（約1600万円）前後のコストがかかるという。

それでも滴滴出行創業者の程維CEO（最高経営責任者）は「米国との競争に備え、投資をさらに増やす必要がある」と自動運転技術で世界の覇権を狙う野心を隠そうとしない。

海外の大手企業も、膨大な走行データと高い自動運転技術を持つ滴滴出行に接近し始めた。

滴滴出行は18年4月、トヨタ自動車や日産自動車、ドイツのフォルクスワーゲンなど31社・グループとカーシェアリングなどに関する企業連合を設立すると発表。19年7月にはトヨタと合弁で移動サービスの新会社を設立することでも合意した。トヨタは滴滴出行自体への出資を含め計6億ドル（約660億円）もの巨額出資に応じる。

日本でもソフトバンクと組んで東京、大阪、福岡などでスマホアプリを使ったタクシーの配車サービスを展開。海外でも着々とデータを積み上げている。

自動運転技術で先行するのは滴滴出行だけではない。

嘉定区では同じ配車サービス大手の「オートX」も20年8月にロボットタクシーを導入。上海に隣接する江蘇省蘇州市では自動運転技術のベンチャー企業、初速度科技（モメンタ）がロボットタクシーを、同業の軽舟智航（QCraft）が自動運転の路線バス営業を始めた。

中国では20年以降、自動運転車の公道実験が市民を巻き込む形で一斉に動き出している。

なぜ中国は自動運転の開発を急ぐのか。

「中国の自動車市場は世界最大だ。しかし、その利益の多くは日本など海外大手にすい取られている。これを変えたい」

中国の産業政策を取り仕切る中国工業情報化省の幹部は、自動車産業をめぐる「苦い経験」が背景にあると説明する。

中国は２００９年、国内新車販売台数で米国を抜き、世界最大の自動車市場に躍り出た。今では米国の１・５倍の巨大市場に成長したが、国内市場の６割はいまだ日系など海外勢に握られているのが実情だ。

工業化が遅れた中国では、「民族系」と呼ばれる国産車の水準が海外大手に比べて低く、「安いが、性能が低い」というイメージが定着している。

その差を埋めるため、中国政府は海外の自動車メーカーが中国で現地生産を行う場合、民族系メーカーと合弁を組むことを義務づけた。海外の優れた生産技術を取り込むためだが、それでも現在、主力のガソリン車では海外大手にとても太刀打ちできないのが実情だ。

自動車の業界地図を塗り替えるにはどうすればいいか。

中国政府が打ち出した戦略が「海外の自動車大手がまだ手をつけていない分野で先行する」ことだ。

その分野こそ、電気自動車（ＥＶ）と自動運転というわけだ。

中国政府が20年2月に打ち出した「スマートカー革新発展戦略」を見れば、中国の野望の大きさが読み取れる。

戦略では25年をめどに「レベル３」の中国製自動運転車を量産すると宣言。同時期に国内新車販売の2割前後をEVを中心とした「新エネルギー車」に置き換える方針だ。

「EVと自動運転技術で世界の自動車産業の主導権を奪い、民族系を一気に国際的なメーカーに飛躍させる」。先の幹部はこう強調する。

党・政府の方針が最優先される中国では、当局が重視する政策には際限なく資金が投じられ、邪魔になる法規制があればすぐに取り除かれる。

メーカーも、地方政府もそれを十分に理解しているからこそ「金を燃やす」自動運転に突き進むことができる。

例えば試験環境。

自動運転車の開発で最大の障壁になるのは、安全性との兼ね合いから公道での試験がなかなかできないことだ。

自動運転開発で先行していた米国でも同国EV大手テスラの自動運転車が公道走行中に歩行者をはね、死亡させる事故が発生。その後も自動運転の実証試験にからむ事故が絶えず、公道試験に対する風当たりは強い。

しかし、中国ではむしろ積極的に公道試験が推奨《すいしょう》されている。

上海市は20年7月、市内浦東《ほとう》新区の繁華街を通る全長30・6キロの公道を使った自動運転車の試験走行を許可したと発表した。大都市の繁華街で自動運転車の走行許可が出たのは中国でも初のケースだ。

河南省鄭州《ていしゅう》市でも20年8月に全長17・4キロの自動運転バスの専用ルートが開通するなど、各地方政府の誘致合戦は過熱の一途をたどっている。

「まるで中国全土が自動運転の『実験場』となったようだ」。大手日系メーカーの中国駐在員はこうつぶやいた。

中央政府があおり、将来性に期待をかけたメーカーや地方政府が巨額の金を注ぎ込む――。中国の産業政策の典型とも言える構図がここにある。

中国の自動運転の実力はどれほどのものなのか。

筆者は16年に中国に赴任した直後から自動運転の取材にとりかかったが、例によって成果はなかなか挙がらなかった。ようやくアポイントが取れてもドタキャンや一方的な内容変更などトラブルの連続だった。

ロボットタクシーが公道を走り回っている上海市嘉定区も思い出深い取材先の一つだ。嘉定区は元々、自動運転研究で世界から熱い視線を集めていた。

中国政府は15年、同区を国内初の自動運転試験地域に指定。区内には部外者の立ち入りが厳しく制限された広さ2平方キロの「閉鎖実験施設」が設けられ、ここでは病院や学校といった日常空間が完全に再現されている。

閉鎖施設の最大の売りは「インフラ協調型」の実験ができることだ。

信号機や標識、路面などにセンサーが埋め込まれ、新世代通信技術「5G」を使って自動運転車と情報を常に交換しあう。施設全体のインフラと車の流れを完全にコントロールすることで事故や渋滞を解消する構想だ。

将来的にはこの仕組みを、山手線の内側の1・5倍に相当する100平方キロに拡大する計画もあるという。都市全体を、自動運転を前提にした「自動運転シティー」に造り替える壮大な実験が始まっていた。

何度も交渉を重ねた結果、18年にようやく閉鎖施設の取材許可が下りた。さっそくカメラを手に現地に向かうと、待っていた担当者が申し訳なさそうにこう告げてきた。

「急な案件が入り、立ち入りができなくなってしまいました」

中国で突然のスケジュール変更は日常茶飯事だ。とはいえ、閉鎖施設への「潜入」ができなければ自動運転の取材計画を一から立て直さなければいけなくなる。

途方にくれていると、担当者が「別の場所で自動運転車に試乗することはできますよ」と声をかけてくれた。北京から上海まで呼びつけておきながら、当日になって門前払いするのはさすがに悪いと思ったようだ。

案内されたのは、閉鎖施設の近くにある「上海自動車エキスポパーク」。自動車博物館や試乗コースなどがそろった自動車をテーマにした総合公園だ。

しかし、そこで再びがっかりさせられることになる。

用意されていたのは米テスラが15年に発売したＥＶ「モデルＸ」。「レベル２」の運転支援技術が搭載されてはいるが、市販車の試乗ではさすがに記事になりそうにない。

助け舟を出してくれたのは、施設を運営する「上海ＩＣＶイノベーションセンター」の李霖副総経理だった。

インタビューでこの日起きた一連の出来事を伝えると「イベント用に準備した、とっておきがある」という。再びエキスポパークに向かった。

現れたのは大型のゴルフカート。しかし、ただのゴルフカートではない。

「このカートには閉鎖施設で培った最新の自動運転技術を搭載しています。自動運転の水準でいえばテスラのモデルＸより、はるか先を行っていますよ」

上海の公園内を走るゴルフカート型の自動運転車＝2018年

カートの運転席に座る担当者が握っているのはハンドルではなく、タブレット端末。タブレットの画面に表示された地図に目的地を打ち込むと、カートがゆっくりと進み始めた。誰も触っていないハンドルは自動で小刻みに動き、公園内を散策する歩行者や停止中の車をたくみにかわしていく。

後方からは別のカートが一定の距離をとり、追走してくる。こちらは「自動追走機能」で前方のカートと同じルートで走り、突然、障害物が現れても自動で回避できるという。「閉鎖施設で自動運転車の性能を徹底的にチェックし、安全性が確認されれば公道実験に移していく。そのスピード感が中国の最大の強みです」

李副総経理は「今はまだ米国が先行しているが、我々は必ず追いついてみせますよ」と笑った。

あれから2年以上。米中の実力差は完全に埋まり、試験環境などの面では中国が徐々にリードを広げつつあるように見える。

筆者が実際に中国の閉鎖実験施設にようやく潜入できたのは、嘉定区でのドタキャン騒動から1年後のことだ。

場所は上海ではなく、北京市南部に位置する大興区。19年5月に運用が開始された最新施設の取材が許された。

厳重なゲートをくぐると、そこには中国を凝縮したかのような光景が広がっていた。市街地に田舎道、高速道路に狭隘《きょうあい》な裏道――。施設内には公道走行時に体験するであろう、あらゆる状況が実物大で再現されていた。

市街地の建物はすべて「張りぼて」だが、商業施設や病院、学校など街そのものが形成されている。

停止中の車は空気を入れて膨らませた実物大模型。それがあちこちに配置された光景は、路上駐車が多い中国の繁華街の日常そのものだ。

車輪で動く人形も配置され、横断歩道を渡ったり、死角から突然飛び出してきたりと歩行者の行動を再現している。

道路標識や看板は本物とまったく同じ作り。高速道路には料金所やパーキングエリアまでそろっている。

「北京市とその周辺に位置する天津市、河北省にある道路の使用シーンの85％以上、高速道路であれば90％以上がここで再現可能です」

閉鎖施設を運用する「北京智能車聯産業創新センター」の呉瓊・副総経理はこう胸を張った。

取材は一般のバスに乗り、走行する車内から施設内を視察する形で行われたが、広大な施設内を軽く回るだけで30分以上かかった。

施設内をめぐっている最中、バスが突然、道路全体が建物で覆われたトンネルのような施設に入った。

「ここには人工降雨機が取り付けてあります。小雨や豪雨など天候面でも様々なシーンが再現可能です」

バスに同乗していた創新センターの担当者が教えてくれた。

筆者が取材した時だけでも施設内では10台以上の自動運転車が走り回っていた。出入り口にあるゲート近くには、実験を待つ自動運転車が列をなしている。

北京市内には北部の海淀区にも同様の閉鎖施設がある。同市内では18年だけで中国メーカー8社が50台を超える試験車両を持ち込み、15万キロ以上の走行試験をこなしたという。地球4周分に相当する距離だ。

驚くべきはこうした巨大な実験施設を持つのは北京、上海だけではないということだ。

張りぼての商業施設など、街並みが再現された自動運転車の閉鎖実験施設＝北京市で 2019 年6月

例えば湖南省長沙市の試験場の広さは9平方キロ超。200以上の走行シーンが再現できるという。

日本では想像もつかないようなスケールの計画が中国各地で進行している。

こうした中国の実験環境は、自動運転車のテストコース確保に苦労している海外メーカーにとって「垂涎《すいぜん》の的《まと》」だ。

「自動運転技術で後れを取りたくなければ、中国政府の後押しを受ける中国メーカーと協力するしか選択肢はない」

ドイツ系自動車メーカーの中国駐在員はこう打ち明ける。

自動運転技術で世界の関心を集めている取り組みがある。

自動運転技術の企業連合「アポロ」だ。17年に中国で公表されたアポロ計画には日本のトヨタやホンダ、米フォード・モーターなど世界の自動車大手が多数参画。マイクロソフト、インテルといったIT大手も含め、中国内外から200社近くが加わっている。自動運転分野では世界最大の企業連合だ。

アポロの中核を担っているのは中国インターネット検索最大手、百度（バイドゥ）。創業者の李彦宏（ロビン・リー）会長はIT分野の天才エンジニアとして知られている。北京大学を卒業後、米ニューヨーク州立大学バッファロー校でコンピューターサイエンスの修士号を取得。米メディアやIT企業でネット検索などのアルゴリズムを独自開発するなど米国でも実力を高く評価された。

その輝かしい実績をひっさげて帰国した直後の00年に立ち上げたのが百度だ。中国政府の規制で現在、グーグルを使うことができない中国にあって、同社はネット検索や地図アプリ分野で国内市場をほぼ独占。李氏は中国の長者番付のトップに立ったこともある。

その李氏が新たな成長分野として着目したのが自動運転だった。

百度が自動運転の研究に着手したのは13年。中国で最も早くから自動運転技術の開発に取り組んできた一社と言われる。

他社が車両と制御ソフトウェアを組み合わせた自動運転車そのものの開発に血道を上げる中、百度はソフト開発だけに選りすぐりの技術者を集中させた。

ＡＩ（人工知能）に膨大なビッグデータを読み込ませ、ディープラーニング（深層学習）機能を使って障害物の認知や路線決定といった自動運転の核心とも言える技術を繰り返し学習させた。

こうして完成させたソフトの名前が「アポロ」だ。

アポロ計画に参加すれば、各国、各メーカーが喉から手が出るほど欲しい「核心技術」を共有できる。その魅力が「誘蛾灯《ゆうがとう》」の役割を果たし、海外の有力企業を引きつける。百度はこれら「パートナー」が持つ車両製造などのノウハウを取り込み、さらに技術を高度化させる。

これを繰り返していけば、いずれ百度を中心とした「アポロ」が自動運転の世界で支配的な立場を占めることになるというわけだ。

その裏には中国政府の存在がある。

中国政府は17年、「次世代AI発展計画」を始動し、AIを活用した各分野で研究の中心となるリーダー役を指名した。

自動運転分野で指名を受けたのが百度だった。

当局の全面的なバックアップを受けた百度は公道実験などの許可を優先的に取り付けることができるなど「別格」の待遇を受けている。

中国国営新華社通信によると、アポロを搭載した自動運転車はこれまでに世界24都市で10万回を超える走行試験を実施。百度が自動運転の開発拠点を置く北京だけで、延べ52万キロを超える路上テストを完了したという。

アポロが世界で取得した自動運転関連の特許は1800件にのぼる。

米コンサルタント大手、マッキンゼー・アンド・カンパニーによると、中国の自動運転市場は30年までに5000億ドル（約55兆円）超の規模になる見通しだ。新車販売同様、自動運転分野でも世界最大の市場を形成する可能性が高い。

「自動運転車は今後5年で完全に商用化されるだろう」。百度の李会長は20年9月にライブ配信の形で開いた同社のイベントで、こう予言してみせた。

中国メディアは2020年代は自動運転にとって「黄金の10年になる」と喧伝《けんでん》している。自動運転車は「金を燃やす」開発期を抜け、いよいよ「金を稼ぐ」収穫期に入ると期待されているようだ。

だが、将来が中国の思惑通りに進むかどうかは誰にもわからない。

自動運転とともに、中国が支援に力を入れてきたEVは、自動運転車に先駆けて「収穫期」に入った。

比亜迪（BYD）など中国メーカーがいち早く大規模な生産体制を確立。政府の購入補助金の効果もあり、国内市場は民族系メーカーのEVが席巻《せっけん》した。

しかし、テスラが上海で現地生産を開始し、日系など海外メーカーもＥＶの新モデル投入を本格化。中国勢有利の構図は崩れつつある。

新型コロナウイルスの感染拡大に伴う市場の一時的な低迷を受け、中国の新興ＥＶブランド「拝騰（バイトン）」が一時、事業停止に追い込まれるなど、中国政府が描く「ＥＶで世界を席巻」というシナリオは修正を余儀なくされている。

ＥＶと同様、自動運転車の開発に巨額のマネーを「ベット」してきた中国の賭けは成功するのか。その成否は世界の自動車業界の勢力図にも大きな影響を与えることになる。

広大な土地の開発が進む、雄安新区・市民サービスセンターの隣接地＝2020年9月

第5章
雄安新区
「習近平タウン」にかける夢

万里の長城、兵馬俑《へいばよう》、故宮（紫禁城）――。悠久の歴史を刻む中国には、歴代皇帝が建設を主導した壮大な施設が数多く存在する。

その「開発熱」は近代になっても変わらないらしい。中国で巨大な実権を握った指導者の多くは国の将来を見据え、新たな都市づくりに情熱を注いできた。

１９８０年代、当時の最高権力者、鄧小平氏が目を付けたのは香港の対岸に位置する広東省・深圳だった。

元々、深圳はどこにでもあるような、ひなびた漁村に過ぎなかったが、ここを中国初の経済特区に指定して減税や規制緩和など優遇策を集中。中国を代表する製造業のメッカに育てあげた。

90年代、鄧氏の後を継いで権力を掌握した江沢民氏が手がけたのが、上海・浦東《ほとう》の開発だ。目標は中国の金融センターの建設だった。

テレビ塔など高層ビルが乱立する現在の浦東の景色は、外国人が真っ先に思い描く上海のイメージそのものだろう。そのビルの多くは金融大手の拠点となっており、中国経済に潤沢《じゅんたく》なマネーを供給し続ける「血液」の役割を担っている。

中国は2001年に世界貿易機関（WTO）に加盟し、経済大国への坂を駆け足で登っていくことになるが、それを支えたのも浦東という拠点を得た中国の金融界だった。

「深圳、上海に続く全国的な意義を持つ新都市を建設する」

17年4月。中国共産党の機関紙、人民日報は1面トップで、北京に隣接する河北省内に新たな巨大都市を整備する構想を明らかにした。

新都市の名前は「雄安新区」。主導したのは習近平国家主席だ。

人民日報によると、新区建設は「千年の大計、国家の大事」だという。党・政府の「舌」（宣伝機関）の役割を担う人民日報があえて深圳、上海を比較対象に挙げた点を見ても、習氏が自身を鄧氏、江氏に匹敵する、もしくは彼らをしのぐ「偉大な指導者」と位置づけていることがわかる。

鄧氏の深圳は中国を「世界の工場」に押し上げた。江氏の浦東は経済大国への「ダイナモ」の役割を果たした。

では、習氏が「雄安新区」に期待するのは何か。

それは中国をハイテク産業で世界をリードする「製造強国」に導くことにある。

中国政府が国家プロジェクトとして開発した新都市は浦東を含め18カ所あるが、雄安新区の建設許可は初めて政府と中国共産党がともに主導役に名を連ねた。習氏がいかに雄安新区に入れあげているかがわかる。

雄安新区建設が発表されてから半年後の17年10月。筆者は北京から高速道路を2時間以上も走り続け、初めて雄安新区の建設予定地に入った。そこは「ハイテク」とはほど遠い場所だった。

見渡す限り広がるのは、主要産業であるトウモロコシ畑。片側2車線の幹線道路の車道上には、収穫済みのトウモロコシが敷きつめられている。

「道路でトウモロコシを乾燥させているのさ。この辺は車もほとんど通らないからね」。地元の農家の男性は、こう言って笑った。

レンガ造りの民家が点在してはいるが、どれも年季が入っている。いまにも朽ち果ててしまいそうな建物も少なくなかった。中国の貧しい農村の典型的な光景がそこにあった。

習氏はここに2035年までに2兆元（約32兆円）もの巨費を投じ、巨大都市を造成する壮大な計画を描く。

計画が発表された当時の雄安新区の開発予定地。道路には収穫したトウモロコシが敷きつめられ、天日干しされていた

計画発表直後の雄安新区の建設予定地の大半はトウモロコシ畑だった＝いずれも河北省で2017年10月

計画面積も広大だ。第1期の開発面積は約100平方キロ。最終的には東京都区部（約630平方キロ）の3倍近い約1770平方キロを開発し、人口200万人を超えるメガシティーを建設するという。

そのためには、まず計画の壮大さに見合った土地を確保する必要がある。選ばれたのが周囲に大きな街がほとんどない寒村だったというわけだ。

ただ、疑問がある。寒村なら中国にいくらでもある。なぜ「習近平タウン」の建設地は河北省に決まったのだろうか。

習氏の父は中国で副首相まで務めた習仲勲氏。党の高級幹部の子弟を意味する「太子党」として恵まれたスタートを切った習氏は清華大学を卒業後、河北省正定県で初の地方勤務を経験している。

正定県は、日本でも長く信仰を集める「臨済宗」発祥の地とされる臨済寺がある歴史ある街だ。

習氏は1983年、30歳の若さで県のトップにあたる党委員会書記に上りつめた。中国トップの国家主席につながる輝かしい経歴の基礎はここで作られたと言っていい。

習氏自身は北京生まれ（戸籍上の原籍は内陸部の陝西省富平県）だが、母・斉心氏は河北省出身。これも習氏が河北省に強い思い入れを持つ要因の一つと言われている。

だが、習氏は個人的な思いだけで自身の最大の功績になるであろう新都市の建設地を決めたわけではない。

計画が発表されて半年後の雄安新区の建設予定地。広大な更地が広がっていた＝河北省で 2017 年 10 月

そこには戦略的な意義が込められている。

雄安新区と北京、天津との距離はそれぞれ約１００キロとほぼ等距離にあり、この３都市を結ぶと巨大な正三角形ができあがる。

首都・北京の人口は２１００万人。一方、天津も渤海湾《ぼっかいわん》に面した立地を生かした経済・物流の拠点として発展しており、人口１５００万人に達するメガシティーだ。

そこに雄安新区を加えた三つのメガシティーを有機的に連携させることで、経済の相乗効果を高めることが習氏の戦略だ。

過密化が進み、慢性的な渋滞など都市問題に悩む北京の首都機能の一部を新区に分散する狙いもある。

筆者が雄安新区を訪ねた直後、中国共産党は5年に1度の共産党大会を開き、「習近平による新時代の特色ある社会主義思想」を党の「行動指針」に明記する党規約改正案を採択した。

党規約は共産党の憲法とも言える存在だ。ここに指導者の名前を冠した政治思想が盛り込まれたのは毛沢東氏、鄧小平氏に続き3人目となる。

「偉大な夢を実現するには、偉大な事業を推し進めなければならない」

党大会で中央委員会報告（政治報告）と呼ばれるスピーチを行った習氏は雄安新区建設の意義をこう強調した。

新区計画そのものが党大会に向けた習氏の権威づけの一環であることは疑いようもない。

新区の建設に伴い、予定地の住民の大半は立ち退きを余儀なくされる見通しだ。

強制移住を強いられる住民のガス抜きのため、予定地には無料の職業訓練所が設けられるなど当局による移住政策が早くも本格化していた。

職業訓練所の門前で夫と2人で小さな売店を営む新語さん（25）に話を聞くことができた。

約1カ月間、夫と職業訓練を受けたばかりだという。

「訓練を受けると人材会社に登録してもらえる。引っ越したくはないが、子どもの将来を考えると……」

周囲には農業以外、めぼしい仕事はない。夫婦で朝から晩まで働いても月収は合計2000元（約3万2000円）程度。北京や上海の平均的な収入の5分の1以下だ。

新さんは新区建設に、苦しい生活からの脱出を期待している。

「まもなくこの辺にも高いビルができ、大勢の人でにぎわうだろう。1歳の息子にも将来の働き口ができる」

新さんは新区が深圳、上海のような大都会になると信じているようだが、習氏が思い描く新区の未来像は成功した二つの都市とは大きく異なるものだ。

2018年10月。1年ぶりに訪ねた雄安新区は一変していた。

100平方キロの「第1期開発区画」内にまずオープンしたのは「市民サービスセンター」と名付けられた施設だ。

「サッカースタジアム14個分の敷地」（中国メディア）に、公共サービスエリア、行政サ

雄安新区に先行オープンした市民サービスセンターは観光地と化していた

計画発表から1年半。市民サービスセンターの無人スーパーは大勢の観光客でにぎわっていた＝いずれも河北省で2018年10月

無人スーパーの入り口ではまず顔認証登録が必要だ

ービスエリア、生活サービスエリア、入居企業オフィスエリアが配置されている。

センターは一般に開放され、中国各地から連日、大勢の見物客がつめかける人気の観光地となっていた。

センターは雄安新区の将来像を市民にわかりやすく伝える「モデルルーム」だ。同時に、「最新技術」を展示するショールームの役割も果たしている。

道路上を走るのは無人のロボット車両。センサーで周囲の状況を確認しながら自身でルートやスピードを調整し、宅配便などの荷物を運搬したり、訪れた観光客にジュースやお菓子を販売したりする。

ホテルやスーパー、フィットネスジムなどは、すべて「無人化」されており、あらかじめ顔写真を登録することで自身の顔を「財布」や「カギ」の代わりに使える。手ぶらで買い物やドアの解錠ができる仕組みだ。

興味を引かれる「新サービス」があちこちに散りばめられているが、こうした技術は雄安新区にとって、あくまで「おまけ」でしかない。

習氏が新区に期待するのは、これらのハイテク技術を生み出す研究・開発拠点としての役割だ。

雄安新区を走る無人販売車

実は雄安新区には「モデル」がある。

「雄安新区の構想が正式発表される前、我々は何度も視察団を日本に送った。新区建設の参考にするためだ」

中国政府に近い関係者は筆者にこう明かした。

特に熱心に視察したのは、茨城県つくば市と、千葉県柏市の「柏の葉スマートシティ」だったという。

つくば市は１９６３（昭和38）年に閣議了解された政府の「筑波研究学園都市」構想に基づき整備が進められた人工都市だ。

高度経済発展の真っただ中にあった当時の日本は、世界と互角に戦うため、科学技術の振興に突き進んでいた。その拠点都市として設定されたのがつくばだった。

計画面積は東京都区部（約６３０平方キロ）の約半分にあたる２８４平方キロ。中心部の研究学園地区には東京やその周辺地区から産業技術総合研究所（産総研）や国土地理院といった国の試験・研究機関が移転したほか、教育の中心として筑波大学が新設された。

計画人口35万人に対し、現在の人口は約25万人。このうち約2万人を研究者が占めており、日本の「頭脳」の役割を担っている。

一方、柏の葉スマートシティは2011年から千葉県や三井不動産、東京大学など官民学が連携して整備が進められた計画都市。

資源・エネルギー問題や高齢化など社会の課題解決をテーマに、各住戸に家電機器の自動制御機能を標準装備するなど最先端の技術、サービスが取り入れられている。

この二つの都市を見れば、雄安新区の使命が経済・産業の拠点ではなく、次世代技術で世界をリードする研究・開発の拠点であることが理解できるだろう。

先の関係者は「雄安新区は研究・開発に特化する。従事する人間は職場の近くに住み、豊かな自然と共存した生活を送る。こうした理想的な環境の中で、ハイテク技術の開発効率をあげることが新区の狙いだ」と強調した。その発想はファーウェイの巨大キャンパスにも共通する。

市民サービスセンターの配置もこうした思想に基づくものだ。

入居企業オフィスエリアには中国政府の働きかけを受け、アリババ集団や百度など中国を代表するハイテク企業が開発拠点を構えている。他地域に先駆け、センター全域に新世

雄安新区の市民サービスセンター内

代通信規格「5G」ネットワークが整備され、5Gを使った最新の実験、研究が可能だ。

センター内にある銀行では中国人民銀行（中央銀行）が中心となって開発を進める「デジタル人民元」の実証試験が始まった。研究施設や住居、行政エリアがコンパクトにまとまったセンター内は「ミニ中国」と言っていい。デジタル通貨のような実験的な試みをテストするにはもってこいの環境だ。

新区の取材中、センター内の様々な施設を熱心に写真に収めている男性に出会った。鄭旺さん(55)。都市デザインの専門家だという。

「自動運転などを本格的に実用化するには、5Gを介したインフラ施設と走行する車の交信を可能にするシステムの整備など、ソフト、ハードの両面で様々な準備が必要だ。既存の都市を『改造』しようとしても限界がある。雄安新区が有利な点は次世代技術の導入を前提に、ゼロから都市づくりが可能なことだ」

世界中の主要都市を視察した経験を持つ鄭さんはこう解説する。

「環境に配慮するため、鉄道や道路など主要な交通インフラはすべて地下に構築する」

「新区内を走る自動車はすべて自動運転の電気自動車（ＥＶ）に切り替える」

雄安新区建設計画の責任者の一人である徐匡迪・元上海市長の打ち出す新区の将来像は刺激的だ。

しかし、あまりに前のめりな姿勢からは、逆に習近平指導部の焦りも伝わってくる。

習氏が雄安新区構想を打ち出した17年は、前述したように中国国内で習氏が政治権力の掌握に向け総仕上げを進めていた時期にあたる。

一方、国外に目を転じれば同年1月にドナルド・トランプ氏が米大統領に就任し、米中の対立が決定的になった時でもあった。

トランプ氏は低価格の中国製品が大量に米国に輸入され、巨額の対中赤字が積みあがっていることに強い不満を示し、中国当局による米国企業の知的財産侵害も後を絶たないと非難。「中国は米国の利益を奪っている」と批判を繰り返した。

18年7月には貿易不均衡などを理由に米国に輸入される中国製品の一部に追加関税を課す対中制裁措置を発動。中国側もただちに米国製品に対する報復関税に踏み切り、世界の2大経済国は「貿易戦争」に突入した。

貿易戦争はその後も規模を拡大し続けたが、4年間のトランプ氏の対中政策を振り返れば、その真の目的が対中赤字の削減や知財侵害の改善ではなく、急速な経済成長で米国の地位を脅かしはじめた中国の勢いを食い止めることにあったことがわかる。

中国企業に対する制裁内容も過酷だった。

トランプ氏は中国ハイテク企業に対し、米国企業との取引禁止や主力商品の使用停止命令など米国市場からの排除を進める一方、「中国企業の技術が中国政府の情報収集活動に利用されている」と喧伝し、日本など友好国にも追随を迫った。

中国の成長の源を根こそぎ絶つ。米政府の狙いはここにあった。

トランプ氏をここまで熾烈《しれつ》な対中制裁に走らせた源泉にあるのが、習指導部が2015年に打ち出したハイテク産業育成策「中国製造2025」だ。

中国製造2025に盛り込まれたのは、中国が技術力で世界をリードする「製造強国」になるための詳細な工程表だ。

20年までに「製造業大国」の地位を固め、25年までに「重点産業で世界先進水準を達成し、国際競争力のある多国籍企業、産業群」を形成する。35年には「優位性のある業種で世界のイノベーションをけん引する能力を確立」したうえで、新中国成立100周年にあたる2049年に「製造強国」として世界の最先端に立つ――。

計画の想定する戦略目標は30年以上先の未来を見据えている。

製造強国に向けた「第1ステップ」と位置づける25年時点では、企業の売上高に占める研究開発費の割合や特許数、労働生産性、ブロードバンド普及率まで詳細な数値目標が掲げられている。政府の毎年の産業政策も、基本的にこの目標の達成に向けて立案されている。

中でも国内外の注目を集めたのは「重点分野」として中国が発展に力を入れていく具体的な業種が明示されたことだ。

①次世代情報技術（高性能半導体の国産化、5Gをはじめとする次世代通信規格の開発）
②工作機械、ロボット（ハイレベルな工作機械の開発、産業・軍事・家事サービスなど幅広い分野でのロボットの開発・市場化）
③航空・宇宙（大型航空機や無人機の開発、ロケットなど宇宙設備の能力増強）

④海洋（深海・資源探査、豪華客船・ハイテク船舶の国際競争力強化）
⑤軌道交通設備（車体の軽量化・高度化など世界をリードする鉄道体系の構築）
⑥自動車（燃料自動車・電気自動車の開発支援、中国メーカーの国際化）
⑦電力（火力・水力・原子力発電レベルの引き上げ、太陽光など新エネルギー技術の発展）
⑧農業（穀物・油・砂糖など重要な作物の栽培・貯蓄の強化、農業用機械の高度化）
⑨新材料（超電導・ナノ関連を含む新材料の研究・開発の加速）
⑩医療（重要疾病に関する医薬品・医療機器などの開発、iPS細胞など新技術の攻略）

次世代産業の核となる技術が網羅されていることがわかるだろう。

政府はこれら重点分野に「社会の各種資源を集結」すると強調しており、実際、中国はここから官民をあげた技術開発のギアを上げていくことになる。

問題は、こうした重点分野の多くが米国の主力産業と真っ向から対立することだ。トランプ政権が「中国製造2025」を「中国からの挑戦状」（米国政府関係者）と受け止めたのも仕方がない。

中国に対する米国の警戒感が高まるにつれ、習指導部は「一刻も早く独自技術を確立し、米国との競争で優位に立たなければならない」と焦りを募らせていった。
「千年の計」とされる雄安新区開発計画にどこか早急な匂いがするのもそのためだ。新区のモデルルーム、ショールームを担う市民サービスセンターにも急ごしらえならではの「ほころび」が見える。

20年9月、再び雄安新区に向かった。

新型コロナウイルスの影響で、市民サービスセンターの観光利用は中断され、ここで働く人以外、車の乗り入れも禁じられていた。

センターに続く道路も通行止めになっていたため、筆者はまだ取り壊されていない古い集落が点在する旧道を通ってギリギリまでセンターに近づき、最後は徒歩で敷地内に入った。観光客でごった返していた、かつての景色はそこにはなかった。

おしゃれなレストランやカフェは軒並み休業。センター内には急きょ、仮設の食堂が準備され、センターで働く人たちは朝・昼・晩と、ここで食事を取ってしのいでいるという。かろうじて営業を続けていた無人スーパーに入ってみた。商品はまばらで、棚はスカスカの状態だ。

「故障中」の看板が立つ無人コンビニ＝2020年9月

センサーで客の顔情報と手にした商品の値段を読み取り、一瞬で決済が完了する自慢のシステムも、1カ所は壊れ、残る1カ所も何度チャレンジしても「エラー」になってしまう。

「無人」が売りのはずのスーパーで担当者から「もう一度、センサーの前に立って」「違う商品で試してみましょうか」と指示を受け続けること約5分。ようやく代金を支払うことができた。

オープンから3年以上が経過し、あちこちにボロが出ているセンターの現実を目の当たりにして、とっさに思い浮かべた場所がある。

雄安新区がある河北省内で、中国政府が国家プロジェクトとして整備を進めた工業団地「曹《そう》妃甸《ひでん》」をめぐる悲劇だ。

曹妃甸プロジェクトを推進したのは胡錦濤前指導部。

10年5月に開かれた日中首脳会談では、当時の温家宝首相自ら曹妃甸をプレゼンテーションし、鳩山由紀夫首相に日本企業の協力を要請した。日本側でも官民で曹妃甸進出に向けたプロジェクトチームが作られ、曹妃甸は「日中協力の象徴」ともてはやされた。

あれから10年。曹妃甸は中国人からでさえ忘れられた存在となっている。

衰退のきっかけは胡錦濤氏から習近平氏への権力移行だ。

習氏が国家主席に就任するとまもなく、曹妃甸の開発計画は大幅に縮小された。表向きの理由は過剰投資が問題視されたためとされたが、胡氏が表舞台から去ったことで当局が開発の熱意を失ったことが最大の原因だろう。

日本企業はおろか、中国企業の進出さえほとんど進まず、工業区内には建設途中で放置されたとみられる廃墟が点在、「鬼城」（ゴーストタウン）のような光景が広がっている。

20年夏、筆者は曹妃甸がある河北省唐山市が日本企業誘致のため大阪市内に置いている日本事務所に電話し「開発計画はどうなっていますか？」と尋ねたことがある。返ってきた答えは「現状は我々も把握していません。企業誘致？　少なくとも我々は既に関与していません」

内陸に位置する雄安新区と異なり、曹妃甸は渤海湾に面している。

曹妃甸への進出を、一時検討したという中国メーカーの幹部は「工業団地としての立地面だけを比べれば、雄安新区より曹妃甸の方が優れている」と評価する。しかし、現状を見る目は厳しい。

「政府の支援を得られなければ港湾やアクセス道の整備は期待できない。曹妃甸が発展することはもうないだろう」

雄安新区が曹妃甸と同じ運命をたどる恐れはないのか。

市民サービスセンターの取材を終え、再び旧道で30分以上かけ、新区の新たな玄関口となる高速鉄道「雄安駅」の建設現場に向かった。

20年末の開業に向けて地上3階、地下2階という中国でも屈指のターミナル整備は佳境に入り、活気を失ったセンターとは対照的に、周囲の田舎道は工事に携わるダンプカーで大渋滞していた。

北京市中心部と雄安新区のちょうど中間地点には19年、世界最大規模の巨大空港「北京大興国際空港」が開業している。総事業費は約4500億元（約7・2兆円）という巨大事業だ。新区と大興国際空港、天津は高速鉄道で結ばれ、強力な交通インフラが作られる予定だ。

中国の経済政策を取り仕切る国家発展改革委員会は20年に入っても、新区内の学校や病院の建設、インフラ整備、環境に配慮したゴミ処理施設の建設などに巨額の財政支出を相次ぎ打ち出している。

2020年末の開業に向け整備が進む高速鉄道「雄安駅」の建設現場＝2020年9月

習氏が権力を掌握している限り、ヒト、モノ、カネが最優先で注ぎ込まれていく構図は当面、変わりそうにない。

中国共産党は18年、国家主席の任期を「2期10年まで」としていた憲法の条文を削除した。これで23年に後進に道を譲るはずだった習氏の長期政権が可能になった。

習氏は毛沢東、鄧小平、江沢民の3人しか呼ばれなかった「党の核心」という地位も手に入れ、「1強」体制を盤石《ばんじゃく》にしているように見える。

激しい中国攻撃を繰り返してきたトランプ氏は表舞台から姿を消した。

しかし、米国の対中警戒感は根強く、バイデン新政権になっても中国の成長抑制を狙った強硬的な政策は今後も続くだろう。

「製造強国」の実現に焦る中国の現状もまた、何ら変わっていない。

雄安新区が中国を「製造強国」に導く拠点となるのか、はたまた曹妃甸のように歴史の中に埋もれていくのか。

「習近平タウン」の成否は文字通り、習氏の双肩にかかっている。

アリババ集団の本社＝浙江省杭州

第6章 巨大IT企業が仕掛ける技術革新／カリスマの「予言」に揺れる

「取引額は3723億元（約6兆円）を突破しました」

2020年11月11日午前0時半。浙江省杭州市内の特設会場は深夜とは思えない盛り上がりを見せていた。

杭州だけではない。この夜は中国中の人々がスマートフォンを握りしめ、日付が変わるのを今か今かと待っていたに違いない。

独り身を意味する「1」が四つ並ぶ11月11日は、中国で「独身の日」と呼ばれる。

元々は1990年代、「寂しい独り身を祝う日」として中国の大学生が遊びで呼び始めたと言われる新しい記念日だが、中国ネット通販最大手、アリババ集団が2009年、「自分にプレゼントを」と「独身の日」にネットセールを開始したことで様相が一変した。

これを契機に他のネット通販大手も続々と「独身の日」セールに参入。今では米クリスマス商戦の皮切りとなる「ブラック・フライデー」を上回り、「世界最大のセール日」に成長した。

「午前0時のスタート直後は割引率がさらに高まる。深夜まで起きて日付が11日に変わった瞬間にほしい商品を一気に買う。これが毎年の恒例行事」

北京市内の大学院生、趙明さん（25）はこう声を弾ませた。

19年の「独身の日」セールの取引額はアリババだけで2684億元。20年は先行セールを実施したことも奏功し、午前0時のセール開始からわずか30分弱で日本の百貨店の年間売上総額（19年、約5・8兆円）に匹敵する額をたたき出した。最終的な取引額は4982億元（約8兆円）という驚異的な規模だ。

中国の消費者の多くは「独身の日」が近くなると買い物を控え、セール日に日用品などを「爆買い」する。

毎年、売上記録を更新してきた同社の「独身の日」セールだが、20年は前年比26％増の実績を上げ、約8億人が参加、商品の発送数は23億個を超えた。

新型コロナウイルスの感染拡大で抑制されていた中国の消費者の「購買欲求」が「独身の日」を契機に一気に爆発した――。そうとしか思えないほどの勢いだった。

国土が広大な中国では、飲食店やスーパーが近所にないケースが多く、自宅まで商品を配達してくれるインターネット通販サービスが急成長した。

日本の経済産業省が20年7月に公表した報告書によると、中国の19年のネット通販市場の規模は1兆9348億ドル（約213兆円）。米国（5869億ドル）の3・3倍、日本（１１５４億ドル）の17倍にのぼる圧倒的な規模だ。

中国の街中を少し歩けば、ネット通販の勢いが実感できる。車や歩行者の間を縫うように、出前や宅配の配達員が乗った無数のバイクが駆け抜けていく。

中国では電動バイクが広く普及しており、配達の主力になっている。スピードは一般のバイクと変わらないが、モーターで動くため走行音はほとんどしない。筆者も音もなく近づいてきたバイクにひかれそうになったり、配達員にクラクションを鳴らされたりした経験は数知れない。

海外のネット通販大手もかつて中国市場への参入を試みたことはあった。しかし、米ウォルマートは16年に現地ネット通販事業を中国企業に売却。米アマゾンも国境をまたぐ越境電子商取引（ＥＣ）など一部事業を残し、19年に中国ネット通販業務から撤退を余儀なくされた。

中国の広大な国土をカバーするには巨大な流通網を確保する必要がある。コスト面で中国勢に太刀打ちできず、市場を明け渡すしかなかったのが実態だ。

この巨大な中国市場を事実上、寡占化《かせんか》したことで中国の通販大手は盤石な資金基盤を確保した。米国や香港市場にも上場し、世界中から多額の投資資金をかき集めている。

米国上場企業の時価総額ランキングを見ると、21年2月現在、トップはアップル（2・2兆ドル）、2位はマイクロソフト（1・8兆ドル）、3位はアマゾン（1・6兆ドル）と米国を代表するハイテク企業が並ぶ。

米国の巨大ネット企業のうち、特に世界的な影響力を持つグーグル、アップル、フェイスブック、アマゾンの4社をそれぞれの頭文字をとって「GAFA」と呼ぶ。GAFAのうち、フェイスブックの時価総額は約6600億ドル。一方、アリババの時価総額は7300億ドルとなっており、「GAFA」と並ぶ巨大グループになっている。

アリババだけではない。ランキングでは25位に拼多多（約2500億ドル）、56位に京東集団（JDドット・コム、約1600億ドル）と上位に中国通販大手が登場する（2021年2月18日現在）。中国の通販大手が、いかに「我が世の春」を謳歌しているかがわかるだろう。

その中国の通販大手は近年、本業であげた巨大な利益を研究開発投資に注ぎ込み、時に突飛とも思えるアイデアさえも次々と実用化し始めた。

「中国製造2025」を掲げ、最先端技術の開発を奨励してきた中国政府とともに、国内のハイテク化を推し進める「エンジン役」になっている。

なぜ通販大手はハイテク化に躍起《やっき》になるのか。そこには中国のカリスマ経営者が残した「予言」が隠されていた。通販会社など中国の巨大ＩＴ企業が仕掛ける中国経済の新しいうねりを追っていこう。

19年8月、筆者は上海市郊外のオフィスビルにいた。アリババがここに新しいスーパーをオープンしたと聞いたためだ。

店名は「盒馬（フーマー）ミニ」。店舗面積は５８０平方メートルと中国のスーパーの中では、やや小ぶりだが、店内にはハイテク技術が詰め込まれている。

店周辺の客層や天気など様々なデータをＡＩ（人工知能）が分析し、仕入れる商品や量、価格を毎日調整。店内の客の動きや商品ごとの販売状況もリアルタイムでチェックし、売れ行きが悪い商品があれば即座に料金を引き下げ、過剰在庫を防いでいる。

約３０００ある商品が並ぶ棚にはデジタル式の値札にＱＲコードが表示され、スマートフォンをかざすと産地からお勧めの料理法まで詳細な情報が手に入る。

ネット通販の急成長で、最もあおりを受けたのはスーパーなどの実店舗だった。全国で多くの実店舗を閉店に追いやった「天敵」のアリババが実際に店舗経営に乗り出したのは

スーパーと通販を融合させた「盒馬ミニ」の店内＝上海市で2019年8月

「盒馬ミニ」ではアリペイの顔認証を使った支払いも可能だ

店内の商品をバイクで配達する配送員

どうしてだろう。

「通販大国」の中国だが、野菜や肉、魚介類など生鮮食品の通販は売れ行きが悪い。画像だけでは鮮度が確認できず、購入に二の足を踏む消費者が多いためだ。

「商品を実際に手に取って確かめられる点が実店舗の最大の魅力。ネット通販に実店舗ならではのメリットを組み合わせれば、サービスの質を飛躍的に高めることができる。それが我々の戦略です」

盒馬の倪暁俊・運営アドバイザーはこう解説する。

店内をしばらく観察していると、水色のヘルメットとユニフォームを着た複数の男性が頻繁に店を出入りしていることに気づいた。どう見ても客ではない。

「うちの配送スタッフですよ」。倪さんが教えてくれた。

店内にある商品はすべてスマホで注文が可能。3キロ圏内であれば30分以内に配達してくれるという。

通販で生鮮食品などを扱う場合、保冷機能が付いた専用施設を準備する必要がある。しかし、盒馬を利用すれば店舗を倉庫、配送センターとしてそのまま利用できるというわけだ。

アリババは「盒馬ミニ」に加え、売り場にイートインスペースなどを設けた大型スーパー「盒馬鮮生」、イートインスペースを中心とした「盒馬F2」など様々な業態の実店舗を展開。20年9月末時点で店舗数は220店舗以上にもなる。

なぜ、そこまで出店を急ぐのか。

背景の一つにあるのは「伝統的な電子商取引（EC）は、中国でまもなく終わりを迎える」という不気味な言葉だ。

発言の主は、アリババ創業者の馬雲（ジャック・マー）氏。

19年9月に会長を退任し、経営の第一線から退いたが、在職中から中国市場の未来をこう見通し、「今後10〜20年でニューリテール（新小売）の時代になる」と予言してきた。

ニューリテールとは、オンライン（ネット）とオフライン（実店舗）を組み合わせた新しい小売の形態だ。盒馬の試みも、この予言に基づいたものであることがわかる。

実店舗を効率的に取り入れられないネット通販会社は今後、生き残ることができない——。

カリスマ経営者の言葉に背中を押され、他の通販大手も一斉にアリババの後を追い始めた。

くしくもタイミングを同じくして、新型コロナウイルスの感染拡大が中国を直撃。これを機にニューリテールが真価を発揮していくことになる。

中国では感染拡大が深刻化した20年1月下旬以降、当局の外出自粛要請で街中から人が消え、各地がゴーストタウンと化した。

この時、なかなか外に出られない市民の命綱となったのがネット通販だ。中でも毎日使う生鮮品の需要が高く、盒馬には通常の3倍もの配達要請が殺到した。

想定を上回る需要に対応するため、アリババはコロナ禍で客が激減していた飲食店の従業員を一時的に雇用する「社員シェアリング」で配達員を増員し、何とか危機を乗り切った。

「独身の日」の売上急増も、コロナ禍でニューリテールやネット利用がさらに市民の生活に深く入り込んだことが一因と言えるだろう。

ニューリテールの波は通販業界を超え、既存の店舗にも押し寄せている。

その第一波は浙江省杭州市から始まった。舞台となったのは、住宅街の一角にある家族経営の小さな食品雑貨店だ。

店主の黄海東さん（49）がこの店を開いたのは09年。米やビール、油に雑貨。近所の人がほしがるものは何でも並べた。

営業は朝7時から深夜0時。妻と息子に加え、アルバイトも2人雇うほど経営は順調だったが、周囲にコンビニエンスストアが増え始めると、売り上げは途端に落ち始めた。そんな時だった。杭州に本社を置くアリババが「一緒に店を改革しませんか」と声をかけてきた。

アリババの支援を受け黄さんは、17年8月に店をリニューアルオープンした。「盒馬」のように、店の天井に複数のカメラを取り付け、来店者のデータ化にもチャレンジ。分析やハイテク機器の提供はアリババが請け負った。

筆者も黄さんの店を訪ねたことがある。アリババがなぜ個人経営の店を支援するのか疑問に思ったからだ。

「売上が2年で2割も伸びた。何とか生き延びることができたよ」

こう言って笑う黄さんに商品の仕入れ先を尋ねると「リニューアルを機に仕入れ先はアリババに一本化した」という答えが返ってきた。アリババはネット通販で人気が出た商品を積極的に店に回してくれるという。

ニューリテールに取り組む黄さんの店（改装後。下は改装前の写真）

ここに謎を解くヒントがある。

中国国内には個人経営の小売店が約600万もあるが、このうち実に130万店以上がアリババと同様の仕入れ契約を結んでいるという。

通販会社は仕入れ規模が大きくなればなるほど取引先との価格交渉力が増す。これを武器に他社より踏み込んだ値下げが可能になり、限定商品なども優先的に取り扱えるようになる。

アリババにとっては実店舗を取り込むことで仕入れ規模の拡大を実現できるうえ、通販の人気商品を実際に手にとってもらえるニューリテールのショーウインドウも確保できる仕掛けだ。

一方、店舗側にとっても世界に張り巡らされたアリババの強力な調達網を格安で利用できるようになり、取り扱い商品の充実などメリットが大きい。

それだけではない。実店舗の活用は、世界の通販会社が頭を悩ませてきた「ラスト1マイル」を解決する突破口になる可能性を秘める。

通販で最もコストがかかるのは、最終配送センターから届け先までの荷物の運搬だ。人の手に頼らざるを得ず、効率化が難しいためだ。この問題を「ラスト1マイル」と呼ぶ。

盒馬を配送センターとして利用しているように、全国にある既存の実店舗を効率よく活用できれば流通コストを大幅に削減できるかもしれない。

他の通販大手もこのメリットに気づき始めた。中国では通販各社による個人経営の商店や地場スーパーの奪い合いが激化している。水面下で通販大手が国内小売市場を支配しつつあるのが実態だ。

通販業界を動かす馬氏の予言。

だが、中国でも「勝ち組」といえる通販各社が湯水のように資金を投じて次の「稼ぎ頭」探しに躍起になっている姿にはどこか滑稽さが漂う。

ニューリテールのためのハイテク店舗は高額の設備投資が必要になる。現状では人が運営する従来型の店舗に「採算面では、とてもかなわない」（中国通販大手幹部）のが実情だ。

盒馬の成功を受け、中国には類似のスーパーが次々と登場した。中国メディアによると、生鮮食品関連のニューリテールだけでも参入業者は4000社に上るという。しかし、大半は投資資金が回収できず、9割が赤字にあえいでいる。

それでも通販各社が投資をやめようとしないのは、中国の通販会社に成功をもたらした「勝利の方程式」が足元で崩れつつあるためだ。

中国でネット通販が急速に普及した理由は一つではない。

広大な国土ゆえの便利さ。スマホ決済をはじめとする先進的なインフラの存在。ライバル企業が競うように展開してきた割引サービス――。

どれもその一因ではあるが、欠かすことができない大きな要因は「配送料の驚くほどの安さ」にある。

中国ではたとえ数百円の商品1個でも配達してくれるうえ、優待券などを使えば、箱代を含め手数料はほとんどかからない。そんなことが可能なのは、農村出身の出稼ぎ労働者を低賃金で雇用できるためだ。

中国では生まれた場所により、強制的に二つの戸籍のどちらかに割り振られる。「都市戸籍」と「農村戸籍」だ。

人口比ではその構成はほぼ半々になっている。

都市に比べ、農村は働き口が少なく、給料も安い。このため農村戸籍を持つ人たちは都会に出稼ぎに行かざるを得ない。彼らは「農民工」と呼ばれる。

技術や専門知識を持たない農民工にとって比較的簡単に職に就ける配達員は、都市労働の大きな受け皿となってきた。

半面、その労働条件は過酷を極める。

「1件配って報酬は8元（約130円）。配達予約時間から1秒でも遅れれば報酬は半分になり、15分遅れると無報酬になる」

20年から北京で出前の配達員を始めた男性（27）はこう説明する。

稼ぎ時のランチタイムの時間帯は複数の注文を受け持つが、最初の配達先で受け渡しに手間取れば、2件目以降はさらに時間が押していく過酷なシステムだ。遅延時間が一定を過ぎると逆に罰金を取られることもあるという。

中国の出前の風景。主力は「出前騎手」と呼ばれる出稼ぎ労働者だ＝北京市で2020年6月

「今日の昼だけで30元以上も損が出た。今日は終日、ただ働きだよ」

　男性は筆者の質問を振り払うように次の配達先へとバイクを飛ばした。街中で配達員が無茶な運転を繰り返す背景には、こうした切実な理由がある。

　ベテラン配達員の王朝陽さん（47）に話を聞くと「土日を含め、朝から晩まで働いて月収6000元（約9万6000円）がやっと」と教えてくれた。

ただ、これでも配達員の中では「高給取り」だ。配達員の大半は月収５０００元未満。新しい配達員が入っても大半は過酷な仕事に耐えられず、すぐに辞めてしまうという。

配達員と並ぶ農民工の働き口である都市部の工場労働者も、月収は５０００元前後。ただ、工場勤務の場合、社員寮が整備されているケースも多い。これに対し配達員は労働時間が不規則なうえ、事故などを起こしても補償はほとんどない。

中国ネット通販業界の不都合な真実。それは劣悪な労働環境で低賃金に耐える「農民工」の存在を前提にビジネスモデルが成り立っていることにある。

しかし、状況は変わった。中国経済の成長に伴い、農民工の人件費も上昇傾向にある。

通販大手の幹部は筆者にこう危機感を明かした。

「人件費が上がり続ければ、配達網は早晩、維持できなくなる。馬氏の『予言』もこれを踏まえたものだろう。今のうちに対策を取らないと大手といえども経営が危うくなりかねない。我々がニューリテールにすがるのも、その恐怖からだ」

影響力と資金力が強まる一方で、足元にじわじわと忍び寄る危機。通販業界を取り巻く複雑な事情が、中国のハイテク化を後押ししている皮肉な現実が見えてくる。

各社はどう現状を打破しようとしているのか。中国ネット通販2位、京東集団（JDドット・コム）のケースを見てみよう。

京東は午前11時までの注文は当日中、夜11時までの注文であれば翌日午後3時までに商品を届ける「211限時達」など充実した物流サービスを売りにシェアを拡大してきた。

短時間での配達を可能にするためには、商品の仕分けなどあらゆる作業を効率化する必要がある。その秘策が徹底した「無人化」だ。

既に商品の運搬や仕分けなどの作業を専用ロボットがこなす「無人倉庫」を実用化。こうしたノウハウをもとに新たな無人化サービスを次々と打ち出している。

北京市内にある中国人民大学のキャンパス内をタイヤが付いた箱形の機械が動き回っていた。

高さは1メートルほど。人が歩く程度の速度でゆっくりと進み、歩行者など障害物を探知すると自動で進路を変えて衝突を未然に防ぐ。

人に代わって商品を配達する京東の無人宅配ロボットだ。

中国の名門大学のキャンパスは驚くほど広い。

人民大での無人配送実験＝2018年4月

講堂や体育館、図書館といった教育施設に加え、全国各地から集まる学生のために寮を併設しているケースが多いからだ。キャンパス内には一般の市民や自動車が立ち入ることは少ないため、企業にとっては絶好の実験場となっている。

宅配ロボットは学生寮の前で止まると、注文主のスマートフォンに「到着」の連絡と暗証番号を送信。しばらく待っていると男子学生が外に出てきた。どうやら彼が注文主のようだ。宅配ロボットに取り付けられたタッチパネルに暗証番号を打ち込むと、六つある扉の一つが開いた。通販で買った友達へのプレゼントだという。「配達員の人件費は年々上がり、人の確保も難しくなっている。将来はさらに人の奪い合いに拍車がかかるだろう」

京東物流の劉向東・自動運転部運営ディレクターは「無人化の実験は未来に備えた必要な投資だ」と強調する。

京東は人民大に続き、湖南省長沙市などの市街地でも宅配ロボットの実験を開始。コロナ感染の震源地となった湖北省武漢市にも投入し、病院への医療物資の搬入などを担った。

京東が無人化に挑むのは通販だけではない。

18年11月に天津市内にオープンしたのは中国初の「ロボットレストラン」。料理の注文から調理、配膳、会計など一連の工程をすべてAI（人工知能）が管理。厨房では5台の調理ロボットが稼働しており、人間のスタッフの仕事は調理ロボットに食材をセットするだけだ。

配膳ロボットは、無人倉庫で培った空間把握機能などを応用し、テーブルまで最短の配膳ルートを自動で計算。1日500回以上の配膳を繰り返す。

筆者も開店初日にレストランを訪ねたが、店内のあちこちでロボットが稼働する近未来

京東のロボットレストラン

配膳も独自開発したロボットが担う＝いずれも天津市で2018年11月

の光景と同時に、その本格的な味に驚かされた。

中国では地域によって好まれる食材や味付け、調理法などがまったく異なる。日本人にも馴染み深い広東料理、四川料理のほかに、「山東料理」「江蘇料理」「浙江料理」「湖南料理」「安徽料理」「福建料理」などが有名で、これらを「中国八大料理」と呼ぶ。

ロボットレストランでは「中国八大料理」を代表する40種のメニューを提供。味付けや調理法は各料理を代表する著名な料理人が監修しており、完全自動制御のため味にムラが出ることもない。

ロボットレストランの隣にあるのは、「無人コンビニエンスストア」。商品に取り付けた電子タグの情報をセンサーが自動で読み取り、スマホ決済によって代金を自動で支払うことで、レジを廃止した実験的な店舗だ。

疲れを知らないロボットであれば24時間、働くことができる。しかし、「高コスト」の問題はまだ克服できていない。

それでも京東物流の王振輝・最高経営責任者（CEO）は筆者の取材に「無人化の実用化を探ることは大きな意味がある」と強調した。

「本業に、ロボットレストランや無人コンビニなどを組み合わせることで、物流から消費、飲食業にいたるまで幅広いノウハウ、データを収集できる。我々が最新技術の開発に多くの人材と費用を投じてきたのは、あらゆる分野で質の高いサービスを提供していくためだ」

ネット通販の普及は中国社会に様々な変革をもたらした。その最も大きな影響は、スマホアプリを中心にしたネットビジネスを中国社会に定着させたことだろう。大きな転機となったのが、アリババが04年に発表した電子決済サービス「支付宝（アリペイ）」の登場だった。

アリペイは元々、通販利用者が簡単に代金を支払えるようにするサービスに過ぎなかったが、QRコードを利用してスマホ間で簡単にお金をやり取りできる便利さが受け、瞬く間に中国全土に普及した。

現在ではネット通販に加え、スーパーや公共交通機関、ホテルや自動販売機にいたるまであらゆる場所でアリペイが利用できる。

アリペイの利用者は中国本土だけで10億人以上。約14億人の国民の大半が使っている計算だ。

ライバルの中国IT大手、騰訊控股（テンセント）も13年にスマホアプリで決済ができる「微信支付（ウィーチャットペイ）」を発表し、アリババを猛追している。

現在の中国ではスマホさえ持っていれば、現金を使う機会はほとんどなくなった。「現金自体を持ち歩かない」という人も珍しくない。

中国のモバイル決済に占めるシェアはアリペイ55％に対し、ウィーチャットペイ40％。この2社で中国の決済市場を事実上、独占している状況だ。

日本でもコンビニのレジなどで、青地に「支」の文字が入ったアリペイと、緑地に「✓」の模様が入ったウィーチャットペイのマークを見たことがある人は多いだろう。

ほとんどの中国人はどちらかを利用しているため、訪日中国人を取り込むには中国の2大電子決済サービスに対応するしかないためだ。

中国人の新たな社会基盤となった電子決済の巨大なプラットフォームを利用した新ビジネスも生まれている。

「お客様は保証金なしで結構です」

北京から高速鉄道で1時間ほど離れた河北省唐山市。同僚の家族も含め16人で別荘形式のホテルを訪れた北京のＩＴ企業社員、王佩さん（38）は丁重なもてなしを受けた。

中国のホテルでは通常、宿泊料とは別にチェックイン時に保証金を預ける必要がある。このホテルの場合、1棟1000元（約1万6000円）ほどの保証金が必要だが、王さんは無料だ。

芝麻信用を使う王さん

「私はランクが高いからね」。王さんがスマートフォンの画面で見せてくれたのは、自身の与信スコアだ。950点満点で、王さんのスコアは777点。総合評価は「極めて良好」の最高ランクだ。

「芝麻信用」と呼ばれる与信スコアは、アリペイの付随機能の一つだ。

ネット通販サイトでの買い物履歴や決済の利用状況を独自に解析し、350~950点の範囲でスコアが決まる。

スコアが高い人は相対的に高所得者の比率が高いため、多くの企業が「良客」を取り込もうと、高スコア者を対象にしたサービスを打ち出している。先ほどのホテルもその一社だ。

中国人民銀行（中央銀行）が与信スコアの事業認可を交付したのは15年1月。それまで中国では個人の信用度を数値化するサービスがほとんどなかったが、芝麻信用の登場で経済力などによる「格付け」が本格化した。

筆者もアリペイアプリから芝麻信用にアクセスし、サービスに登録してみた。「身分証明」の登録欄には、学歴や勤務先、在職期間、年収などの質問が並ぶ。「資産証明」では不動産や車といった保有資産、「人脈関係」では友人の情報を提供する欄もある。買い物履歴を含め「個人情報」を事細かに登録するほど、高スコアを獲得しやすくなるらしい。当然、スコアの判定にはアリババが握る膨大な個人情報も利用される。ＩＴ業界に詳しい中国の専門家によると「ホテルを予約したのに無断でキャンセルした」「料金の支払いが期日より遅れた」など信用を損ねる行為が確認されるとスコアに悪影響が出るという。

こうした個人の信用情報は融資やクレジットカード、不動産、レンタカー、旅行、結婚相談など様々なサービスにも利用されている。

スコアに基づいた「評価」は個人間でも急速に広がっている。

「恋人募集中。対象は与信スコア７００点以上の人だけだよ」。中国のインターネットお見合いサイトでは相手の条件に、スコアの点数を設定するケースが増加中だ。

「私は７９３点」

「俺も７００点超えだよ」

掲示板には自身の与信スコアが映った画像が大量に投稿されている。個人情報の流出に敏感な日本では考えられない光景だ。

「もはや与信スコアは第2の証明書と言ってもいい」。与信スコア700点超えの北京市内の歯科医の女性（30）はこう話す。

「多くの人は『またアリペイに便利なサービスが追加された』程度にしか思っていないが、芝麻信用の登場で中国人のアリババ依存はますます高まった。アリペイなしの生活は中国ではもはや考えられない」

一方のテンセント。その影響力の源泉は、日本のＬＩＮＥ（ライン）によく似たメッセージアプリ「微信（ウィーチャット）」にある。

利用者は世界で12億人超。中国では友人・知人間はもちろん、仕事や取引先とのやり取りも微信で済ませるケースが圧倒的に多い。中国で取材をする際も、初対面のあいさつを交わした後、まず互いの微信を交換し合うのが日常の光景だ。

トランプ米政権が20年夏、米国市場からの微信排除を打ち出した際、中国や在米の中華系の人々を中心に「どうやって友人と連絡を取り合えばいいんだ」とパニックが広がった。

それだけ微信が中国の生活に密着しているとも言える。テンセントはこのアプリに決済機能を追加することで、一気にアリペイに迫るシェアを獲得することに成功した。

テンセントは1998年、深圳大学コンピューター学科を卒業した若い技術者、馬化騰（ポニー・マー）氏を中心に創業した。

創業当初からインスタントメッセージアプリの開発に注力し、99年、同社の飛躍のきっかけとなる「QQ（キューキュー）」を発表する。

個人間のメッセージの送受信や音声・ビデオ通話、チャット機能などが簡単に使えるソフトで、パソコンユーザーを中心に大ヒット。その後、スマホ版のアプリも追加され、利用者は約7億人に達する。

テンセント本社＝広東省深圳市で2019年

QQのノウハウを生かし、2011年にリリースしたのが微信だ。スマホでの利用を前提にモバイル決済など様々な機能を追加していくことで、さらに利用者を拡大した。

ちなみに、中国では微信が広く普及した現在もＱＱの愛用者は多い。中国人に話を聞くと、ビジネスなどにも広く使われる微信に対し、ＱＱは友人とのやり取りなどプライベート中心というように棲み分けができているようだ。

両アプリで合計約20億人という驚異的な利用者を抱える巨大ＳＮＳ企業という肩書とともに、テンセントにはもう一つの顔がある。

世界最大のゲーム会社という一面だ。

テンセントのゲーム事業を理解するには、まず中国におけるゲームを取り巻く環境を押さえておく必要がある。

他の産業同様、中国はゲーム分野でも長く「鎖国」を続けてきた。

中国政府は２０００年、ゲーム機は青少年に対する悪影響が大きいとして国内での製造、販売を全面的に禁止。以来、ゲーム機は長年にわたり中国市場から締め出されてきた。

非正規で任天堂やソニーのゲーム機が海外から細々と持ち込まれてはいたものの、一般の市民が接する機会はほとんどなかったため、中国では海外のように「友達同士で家に集まり、みんなでゲームを楽しむ」という「文化」が育たなかった。

ようやく規制が緩和されたのは13年秋のことだ。

ソニーは主力ゲーム機、プレイステーション（PS）シリーズ、米マイクロソフト（MS）もXbox（エックスボックス）シリーズを中国市場に投入したものの、思うような実績を残せていない。

据え置き型ゲーム機の解禁に先駆け、中国ではスマホゲームの普及が始まっており、消費者の多くがスマホゲームに夢中になっていたためだ。

海外ゲーム大手が参入できない間に、いち早くスマホゲーム市場を握ったのがテンセントだった。

オランダの調査会社「ニューズー」によると、20年の中国のゲーム市場は440億ドル（約4・8兆円）で、米国の413億ドルを上回る。世界全体の約4分の1を中国が占める計算だ。

ただ、中国市場は9割以上をスマホゲームが占めており、据え置き型やパソコンゲームの人気はほとんどない。

その中国市場に特化し、スマホゲームの開発に資金を投じることでテンセントはゲーム市場で巨額の利益を上げてきた。

テンセントの19年の売上高は３７７３億元（約６兆円）。このうち30％はゲーム事業が占める。中国の偉人をキャラクターにした同社のスマホゲーム「王者栄耀」は１日のアクセス数が１億を超え、世界で最も売れたゲームと言われている。

テンセントは巨額の資金力をバックに、海外のゲーム会社も次々と呑み込み始めた。世界的なヒットになった対戦型オンラインゲーム「リーグ・オブ・レジェンド」を開発した米ライアットゲームズはテンセントの子会社。17年の発表以来、高い人気を集める「フォートナイト」を発売する米エピックゲームズにもテンセントが出資している。日本のゲームユーザーも気がつかないうちに、テンセント関連のゲームで遊んでいるというケースが広がっている。

中国の民間調査会社・胡潤研究院が発表した20年版の「長者番付」によると、トップはアリババ創業者の馬雲氏とその家族で３１５０億元（約５兆円）。２位はテンセントの馬化騰ＣＥＯで３０８０億元だった。

ＩＴ系企業がいかに中国で大きな影響力を持っているかがこの一例からもわかる。

中国経済を席巻する巨大ＩＴ企業。これに対し、中国当局の視線は複雑だ。

中国経済を主導してきたのはこれまで、当局が経営に深く関与してきた国有企業だった。これに対し、創業から歴史の浅いIT企業と当局とのつながりは薄い。時には当局から目の敵にされることも少なくない。

例えばテンセントが主力とするゲーム分野は「青少年に悪影響を及ぼす」としてゲーム認可の厳格化や、未成年者の利用制限など当局による数多くの規制、妨害工作を受け続けてきた。

IT企業側も手は打ってきた。

18年11月、中国共産党機関紙、人民日報の紙面が話題をさらった。紙面には中国の「改革開放」に貢献した100人のリストが掲載されていたが、その中の一人に共産党員と明記した形でアリババの馬雲氏の名前があったためだ。それまで馬氏は政治とは関わらない姿勢を強調してきただけに、経済界に驚きが広がった。中国を代表する巨大企業となった今、経営を安定させるには中国当局との関係強化は避けられないと判断したのかもしれない。

だが、当局はここにきてIT企業への「攻勢」を一気に強めている。

「独身の日」前日の20年11月10日、中国の規制当局はＩＴ大手の独占的な行為を規制する新たな指針の草案を公表。12月にはアリババ、テンセントの傘下企業に対し、独占禁止法違反で罰金を命じる決定を下した。

当局はスマホアプリを使った個人情報の収集にも規制を課す方針を示しており、ＩＴ企業の手足をじわじわとしばり始めている。

なにがあったのか。

ある共産党関係者は「ＩＴ企業の影響力が大きくなりすぎた。当局はこれまでの『容認』から『規制』に方針を切り替えた」と説明する。

象徴的な「事件」があった。

アリババの馬氏は20年10月の講演で、中国金融当局の監督手法は時代遅れだと痛烈に批判した。アリババは中国の決済サービスを事実上、掌握しており、当局にさらなる規制緩和を迫る狙いがあったとみられる。

しかし、著名な企業人が当局を公然と非難するのは中国では極めて異例だ。案の定、講演の内容は当局の虎の尾を踏んだ。

複数のメディアによると、馬氏とアリババ幹部は講演直後に当局に呼び出され、同社の金融事業について「指導」を受けた。アリババ傘下のアリペイ発行会社（アント・グループ）は11月5日に上海、香港両株式市場に上場する予定だったが延期を余儀なくされている。

存在感を高めるIT企業と、それを警戒する当局とのあつれき。一連の規制強化はその発露なのだろうか。

いや、それだけではないはずだ。

当局の唐突にもみえる方針転換に、習近平指導部の産業政策の「変容」を感じ取る関係者は少なくない。

中国政府はここ数年、国内有力企業に対する出資を加速している。出資先は半導体、製薬など米国との覇権争いの最前線にある重点分野が中心だ。戦略産業に対する当局の影響力を強め、米国に対抗する狙いがあるとみられる。

IT企業に対する規制強化もこの流れの中にあるのであれば、当局の介入は最終的に企業の経営権にまで及びかねない。

「伝統的な電子商取引はまもなく終わりを迎える」

中国ネット通販業界を揺るがした馬氏の予言は、発言した本人も予想しなかった形で現実になるかもしれない。

AEEの新作ドローンのテスト飛行

第7章
「ドローンシティー」深圳 忍び寄る当局の影

香港と深圳。

隣り合った二つの都市は、中国の経済発展の歴史を学ぶのに格好の素材といえる。

香港が「経済都市」へと変貌《へんぼう》するきっかけとなったのは１８４０年代のアヘン戦争だった。

敗戦国となった清は香港島を英国に割譲《かつじょう》。これを機に英国式の資本主義経済が香港に導入され、戦後も英国の統治の下、アジアの経済センターとして発展を続けた。

香港は１９９７年、英国から中国に返還された。ただ、英国と中国は返還後も50年間、中国本土の社会主義体制は持ち込まず、従来通りの制度や生活様式を保障する「１国２制度」で合意し、香港の自由な雰囲気は維持された。

香港と深圳は高速鉄道でわずか20分弱の距離にある。

筆者も取材のため香港・深圳間を何度も行き来したが、香港行きの高速鉄道の車内で知り合った中国人ビジネスマン（55）の言葉が印象に残っている。

深圳はいまや中国でも屈指の大都市に成長し、都市環境では香港と大差ないようにも見える。

しかし、そのビジネスマンいわく「香港と深圳はまったく違う」。

「香港に入ってスマートフォンを使うと、中国本土では当局の規制でアクセスできないグーグルやユーチューブを使うことができる。そんな小さなことで自由を実感できるんです」

経済面でも香港は長く中国本土を圧倒していた。

香港が中国に返還された当時、中国は89年の天安門事件で国際社会から孤立した影響がなお尾をひき、国内総生産（GDP）は日本の3分の1程度に低迷。経済レベルで言えば、アジアの新興国の一つに過ぎなかった。

一方、香港は輸入に関税のかからない「フリーポート」として早くからアジアの交易の中心となっていた。当局の規制が少ないうえ、住民の多くが英語を話せる利点を生かし、欧米の金融機関の進出も進み、アジアを代表す

長く中国を上回る経済力を誇ってきた香港＝2018年9月

る国際金融都市として隆盛を極めていた。

２０００年当時の香港のＧＤＰは当時の人民元レートで換算すると1兆４０００億元超。中国本土の上位6都市（上海、北京、広州、深圳、天津、重慶）のＧＤＰの合計に匹敵する規模だった。当時の香港がいかに突出した存在だったかがわかる。

「深圳に住んでいる我々には、当時の香港は光輝いて見えた。香港は完全に先進国。対する中国本土はまだまだ発展途上だった」

高速鉄道の車内でビジネスマンはこう解説してくれた。

対する深圳。１９８０年に鄧小平氏によって中国初の経済特区に指定されて以来、法人税の減免など中国政府からありとあらゆる支援を受けてきた。

目指したのは中国を代表する「製造業の拠点」。

しかし、漁業や農業といった一次産業が中心だった深圳には当時、めぼしい人材も技術もなかった。その第一歩は、目の前にある香港の企業から受注した電子部品などの下請けから始まったという。

「当時は何だって作ったよ。表の仕事はもちろん、裏の仕事もな」

深圳で古くから町工場を営む男性（68）が匿名《とくめい》を条件に、80年代の深圳の「現実」を教えてくれた。

特区の優遇措置に引き寄せられ、外国企業が少しずつ工場を構え始めてはいたが、大半は中国本土の安い人件費に目を付けた大量生産の流れ作業。

一方、深圳の地場企業の多くは町工場レベルで、香港からの注文も限定的だった。

そんな深圳を支える「裏仕事」の一つが、コピー商品の製造だ。香港で流行している電化製品があれば、すぐに深圳に持ち込まれ、粗悪なコピー商品が大量に作られては香港で売りさばかれた。

製品の図面をひく技術者、格安の部品をどこからか集めてくる問屋、それらを組み合わせて製品に仕上げる町工場。「深圳では金が稼げる」。こんな噂が広がって全国から様々な技術を持った人たちが集まり、次第に製造業の基盤が形作られていったという。

どのような注文にも即座に対応できる「現場力」は今にいたる深圳の最大の強みとなり、その後の発展の原動力になった。

「アイデアとカネさえ持ち込めば、深圳で作れないものはない」

こう称される環境から生まれてきたのが中国通信機器最大手の華為技術（ファーウェ

イ）や、通信アプリ「微信（ウィーチャット）」を運営する騰訊控股（テンセント）といったイノベーション型の企業だ。

深圳はいつしか中国のハイテク産業をけん引する存在となっていた。経済特区に指定されてからの40年間で、深圳の経済規模は1万倍という驚異的な成長をとげた。ＧＤＰの規模では既に香港を上回っている。

「現場力」で、はるか先を走っていた香港を追い越すことに成功した深圳。その実力を知りたい人に、もってこいの場所がある。

深圳の中心部に位置する「華強北」。大小数多くの電気店や部品パーツ業者が集まり、東京・秋葉原をしのぐ「世界最大の電気街」を形成している。

1個数円の電子部品から、研究用の高価な分析装置まで、ありとあらゆる商品がここに集まる。

メインストリートを埋め尽くすのは、「電脳城」と呼ばれる全フロアが電気店で埋め尽くされた大型ビルだ。夜になると街全体が色とりどりのライトで照らし出される。深圳の勢いをアピールしているかのような華やかさだ。

華強北でも屈指の巨大電脳城、「華強電子世界」に入ってみた。

他の電脳城と同じく、7階建ての各フロアにはスマートフォンやカメラなど様々な商品を扱う専門業者が肩を寄せ合うようにブースを並べている。

中でもひときわ活気に満ちているフロアがあった。一つの階が丸ごと、ドローンの専門店で占められたエリアだ。

全長15センチほどのおもちゃのようなモデルもあれば、1台数万元もする大型の空撮専用モデルも。大小様々なドローンが客引きのため売り場内を飛び交っている。

「うちで扱っているドローンは、全部、深圳製。なんて言ったって深圳は『ドローンシティー』だからね」

店員に話を聞くと、こんな答えが返って

世界最大級の電脳城「華強電子世界」では1フロアが丸々ドローン売り場になっていた＝広東省深圳市で 2018 年 10 月

きた。

大げさな表現ではない。深圳には世界最大手の大疆創新科技（ＤＪＩ）など３００を超えるドローンメーカーが拠点を構え、世界市場の7割超を独占している。華強北にも最新のドローンを求め、国内外から顧客が押し寄せるという。ドローンはいまや深圳の最大のヒット商品の一つと言ってもいい。

なぜ深圳は「ドローンシティー」になれたのか。

それを探るため、「現場力」を求めて中国国内を飛び回った。


取材の第一歩は、深圳のドローンメーカーに片っ端から取材申請を送ることだ。ほとんどは無視されたが、そのうちの1社から「取材ＯＫ」の返事が返ってきた。

深圳一電航空技術（ＡＥＥ）。業務用の特殊なドローンの受注生産を得意とする大手メーカーだ。

同社は１９９９年、無線やビデオ機材の製造メーカーとしてスタートを切った。その技術を生かし、ドローン製造に乗り出したのは２００９年。深圳でも最初期にドローン製造を始めた一社で、本社ビルには「ドローンのパイオニア」という文字が刻まれている。

筆者が訪ねた日はちょうど、新作のドローンのテスト飛行の真っ最中だった。注文主は「米国の警察機関」。自然災害などの巡回用に、持ち運びに便利な折り畳み式で、1時間程度の飛行が可能な専用ドローンの開発を依頼されたのだという。

「ドローンのパイオニア」と書かれたAEE本社ビル＝2018年10月

AEEの売りは、ドローンの重さや飛行性能、コントローラーの形にいたるまで発注者のあらゆる要求に応えられることだ。当然、引き渡しまでに何度も試作を重ねることになるが、ここに深圳企業ならではの強みがある。

「深圳には製品開発に不可欠な様々な専門分野を持った企業、技術者がそろっている。注文に応じて、必要な仕事を外注することができるため、当社は開発に人材を集中することができる」

張思奇・国際市場部ディレクターはこう説明する。

部品製造や組み立てといった工程を市内の専門

業者に委《ゆだ》ねることで納期とコストを大幅に短縮。深圳の「現場力」を総動員することで、それを可能にしているという。

特別仕様のドローンでも、「早ければ数日」で試作品ができる。「深圳以外の会社に開発を頼めば、時間も、コストも確実に跳ね上がるでしょうね」

世界でドローンの普及が本格化したのは、ここ10年ほど。それは深圳のドローンメーカーの成長の軌跡でもある。

AEEの新作ドローン

深圳では06年、香港科技大で無線操縦ヘリの制御技術を研究していた汪滔（フランク・ワン）氏がDJIを創業。同社は12年、看板商品となる「ファントム」を発売し、圧倒的な空撮性能で世界市場を席巻した。

AEEのような特殊な用途に応えるメーカーも現れ、こうしたドローンメーカーから様々な注文を請け負う形で深圳中の企業にドローン製造のノウハウが蓄積されていった。やがて深圳の高い技術力を求め、世界中からドローンの注文が殺到するようになる。価格も性能も多種多様なドローンの開発を次々とこなすことで、さらに深圳の開発力が高まる好循環が生み出されていった。

「深圳がドローンシティーと呼ばれるのは、個々のドローンメーカーの力だけではありません。深圳全体の開発力の高さが背景にある」

張ディレクターの解説だ。

世界で爆発的な普及をみせるドローンだが、一般にも手に入りやすくなったことでドローンをめぐるトラブルも急増している。

安全性の面から各国で規制が大幅に強化されており、日本では住宅地などでドローンを飛ばすことは禁じられている。

これに対し、中国では産業育成を重視する当局が比較的、簡単に商業利用の許可を出す。ドローンの活躍の幅が広がり、これが深圳勢に安定した収益をもたらす一因ともなっている。

中国でドローンはどのように利用されているのだろうか。

上海の北に位置する江蘇省に向かった。

高速鉄道の駅から車に乗り換え、3時間以上。ようやくたどり着いた農村地帯に「ドローンサービスセンター」はあった。

建物の外観はまるで自動車販売店。しかし、中に入ると10機近い最新モデルのドローンが並んでいる。

運営しているのは中国インターネット通販第2位、京東集団（JDドット・コム）。世界初というドローンを使った宅配サービスの拠点だ。

ロボットレストランなど「将来に備えた実験」とは異なり、京東がドローンの実用化を急いだのには切実な理由がある。

通販の配達先は都市部だけではない。

特に国土が広大な中国では険しい山間部や、穀倉地帯の片隅に数軒の民家がぽつんと存在する地域も多く、トラックなどを使った通常の配送方法では時間とコストがかかり過ぎる。

頭を悩ませてきた同社がたどり着いた解決策が、どのような地形でも最短距離で荷物を届けることができるドローンの活用だった。

サービスセンター脇の広場には、京東が国内メーカーと共同開発した専用ドローン「Y―3」が待機していた。総重量10キロの荷物を積み、往復20キロの飛行が可能。この日の配達先は約3キロ離れた集落だという。

ドローンサービスセンターのコントロールルーム＝2019年3月

センターの2階にはコントロールルームが置かれ、モニター画面に映し出された地図上に飛行中のドローンの位置がリアルタイムで表示されていく。飛行ルートはあらかじめプログラムされており、担当者1人で運用できる。

到着地はどうなっているのか。実際に先回りして行ってみた。

直線距離ではわずか3キロだが、車で向かうのは一苦労。未舗装のでこぼこ道は、車1台が通るのがやっとの狭さ。道は曲がりくねり、たどり着くのに数十分もかかった。この道のりもドローンならわずか5分で到着できる。

サービスセンターから荷物を抱えて離陸するドローン

配達先には緑のシートが敷かれている

荷物を自分のバイクに積み替えた于さん

シート上に荷物を切り離し、ドローンは再び浮上

着陸地点になっているのは、集落の中心にある古びた平屋に四方を囲まれた中庭のような場所だった。その中央には畳1畳分ほどの緑のシートが敷かれている。これが着陸態勢に入ったドローンの目標となる。

しばらく待っていると荷物を積んだ「Y－3」の飛行音が聞こえてきた。緑のシートの真上まで来ると、ゆっくりと下降を始めた。地上まで数センチのところまで接近すると荷物を切り離し、そのまま上昇し、ドローンはセンターへ戻っていった。下降から荷物の切り離しまでわずか数十秒の早業だ。

ドローンが切り離した荷物は、着陸

地点で待ち構えていた于双虎さん（32）に引き継がれる。于さんは着陸地点の近くに住んでおり、京東と配達員契約を結んでいる。

于さんはスマートフォンでセンターに到着の連絡を入れると、荷物を自分のバイクに積み替えた。

注文主はバイクで数分の距離に住む江緒洋さん（52）。ドローンが運んできた段ボール箱には新しいスマートフォンが入っているという。

ドローン配達が始まるまでこの集落には宅配便そのものが届かなかった。通販で注文した商品は、車で1時間以上かけて最寄りの集積所まで取りにいくしか方法がなかった。江さんにドローン配送の感想を聞くと、「ドローンのおかげで生活が一変した。今では毎日のようにネット通販を利用しているよ」と笑った。

京東は山に囲まれた四川省など山間部でもドローンを使った配送を実用化。中国郵政などもを過疎地域の配達にドローンを使い始めた。

パイプラインや送電網の点検といった人の力では手間がかかりすぎるインフラ設備の管理、農薬の散布、コロナ禍での除染作業――。中国ではドローンが様々な場面で実用化されている。

厳しい規制の前になかなか実用化が進まない海外を尻目に、ドローンの運用面でも中国企業が実績を積み上げている形だ。

先行する中国勢に各国企業は熱い視線を注いでいる。

京東は19年2月、日本の楽天とドローンなど無人配送分野で業務提携を結んだ。運用面のノウハウを積み上げた中国勢の海外展開が本格化すればするほど、深圳製のドローンの引き合いはさらに強くなる。「ウィン・ウィン」の構図ができあがっている。


何事にも常に政府の影がつきまとう中国だが、当局は当初、ドローンにはそれほど注目していなかったようだ。

ハイテク産業育成策「中国製造2025」には「航空・宇宙」が重点分野の一つに掲げられてはいるものの、ドローンに関する記述はほとんど見当たらない。

しかし、深圳発のドローン産業が世界をリードし始めたことで民間主導で発展してきた風向きは突然、変わった。

中国工業情報化省は17年12月、「民間無人航空機（ドローン）産業の発展促進に関する指導意見」を発表し、2025年までにドローンの生産規模を1800億元（約2・9兆円）に拡大する方針を打ち出した。年平均25％以上の成長を目指すという。

ドローンに関連する法律や、品質基準の策定も一斉に始まっている。「カネのなる木」に成長したドローン産業の主導権を当局が民間から奪い取ろうとする構図だ。

元々、中国で最初にドローンの研究に着手したのは、実は政府だった。中国では１９６０年代から、ドローンの実用化を探る試験が始まったとされる。目的は軍事への応用だ。政府の実験は目に見える成果を挙げられなかったようだが、深圳勢がドローン技術を飛躍的に向上させたことで中国の「野望」が再び動き出した。

ドローンメーカーと当局の関係も深まっている。

ＡＥＥを取材した際、本社前に「ドローン通信指揮車」という文字がプリントされた警察車両が停まっているのを目撃した。

同社は警備用ドローンの開発にも携わっており、中国各地の警察に配備を進めている。２０１６年に中国・杭州で開かれた主要20カ国・地域（Ｇ20）首脳会議など国際会議の会場でも警備のため会場上空を旋回する同社製ドローンを筆者は確認している。

中国工業情報化省が17年に発表した指導意見では、民間ドローンメーカーに軍事用製品の研究、生産を促す「軍民融合」が強調され、ドローンの軍事利用が国家戦略となった。

軍事用ドローンも手がけるＡＥＥにはアフリカや南米、アジアなど各国から軍事関係者が視察に訪れ、海外への輸出も本格化している。

中国政府はハイテク機器や軍事・警備用設備の輸出を、外国との関係強化につなげる「外交ツール」として活用してきた。既にドローンもそれに組み込まれていると考えていいだろう。

ただ、中国政府の全面的な介入は、深圳を中心に順調に発展してきた中国のドローン産業に新たな危機を呼び込む皮肉な結果をもたらしている。

米メディアによると、米陸軍は17年、ＤＪＩ製ドローンの使用を一時的に禁じた。米・国土安全保障省は19年、米企業に対し中国製ドローンを使用した場合、飛行データなどの情報が中国側に流出する恐れがあるとの警告を出している。

20年12月には、米商務省が中国当局による人権侵害に製品や技術が使われているとして、ＤＪＩを禁輸措置の対象に加えるなど制裁措置を段階的に強化している。

中国当局と関係を深める中国のドローンメーカーに米政府が警戒を強め、米中のハイテク覇権争いの最前線に引きずり出された格好だ。

中国当局の強引な介入の結果、民間主導の成長に水を差す構造は、「1国2制度」がなし崩しにされつつある香港の現状と重なる。

習近平指導部は20年6月30日、中国政府による香港の統制を強化する「香港国家安全維持法」（国安法）を公布・施行し、同法違反を理由にして、民主化を求める人々の逮捕・拘束など香港への介入を繰り返している。

香港の自由な空気は一変し、香港に進出していた外国企業に撤退の動きが広がるなどアジアを代表する経済の拠点機能も揺らぎ始めた。中国当局の強引な手法に米国や英国など海外からは一斉に非難の声が上がっている。

香港では19年、香港で捕まった容疑者を中国本土で裁くことを可能にする「逃亡犯条例」改正案の提出をきっかけに、主催者発表で最大約200万人が参加する大規模デモが起きるなど当局の強引な手法に反発する市民運動が繰り返されてきた。

こうした民主化勢力の影響力拡大に危機感を抱いた習指導部は国安法を足がかりに、香港に認めてきた高度な自治を有名無実化し、中国本土からの統制を強める方針を鮮明にした。

深圳のほか、上海、北京など中国本土の主要都市のGDPは既に香港を上回っており、香港の経済的な存在感が薄れつつあることも「習指導部が香港に対する強引な手法に出た一因」(香港在住のエコノミスト)との観測もある。

香港では民主化勢力のリーダーたちが次々と逮捕・収監されている。フェイスブックやグーグル、ツイッターなど米ネット大手は「利用者情報が当局に不正利用される懸念がある」として香港政府への合法的なデータ提供を一時的に停止。国際的なハイテク関連企業ではデータを保管するサーバーなどを香港の外に移管する動きも加速している。

筆者が高速鉄道で出会ったビジネスマンが称賛していた香港の自由は今、大きく揺らいでいる。

「深圳の成功は経済特区創設の戦略的決定が完全に正しいものであったことを証明している。40年間にわたる改革開放の実践は偉大な奇跡を生み出した」

20年10月14日。習主席は深圳で開かれた経済特区指定40周年を祝う記念式典でこう強調し、党・政府の成果を誇ってみせた。

習氏は対岸の香港についても「1国2制度」を「全面的かつ正確に貫徹する」と宣言し

てみせたが、香港の現実を見れば、その言葉はむなしく響く。

中国の産業を語るうえで、党・政府の支援は欠かすことができない重要な要素だ。しかし、当局の関与が常にメリットにつながるわけではない。香港やドローン産業への介入は、民間主導の発展を信じきれなかった中国当局の限界をも感じさせる。

海外にも進出していた中国大手２社のシェア自転車＝シンガポールで2018年

第8章 「目指せ！第2のティックトック」中国の起業事情

始まりは友人、知人からかき集めた10万元（約160万円）だった。

２０１１年春、大学を卒業してまもない王建軍さんはこれを元手に起業。子供が組み立てながらプログラミングを自然に学べる教材用ロボットの開発に着手した。25歳の時だった。

「中国には新興企業に資金を提供してくれる『ベンチャーキャピタル（ＶＣ）』がたくさんある。実績がなくても、将来性さえ認められれば投資を受けられるんだ」

王さんの会社「メイクブロック」は12年に約２５０万円の資金調達に成功。その後も億単位の調達を繰り返し、飛躍への足がかりをつかんだ。

深圳市郊外のオフィスビルに入居するメイクブロック本社を初めて訪ねたのは18年秋のことだ。

すぐ脇には南方科技大の広大な敷地が広がる。広東省が11年に創立した新設校ながら世界中から優秀な研究者を招聘《しょうへい》。18年には賀建奎・副教授（既に辞任）がゲノム編集技術を使ってヒトの受精卵の遺伝子を改変し、双子を含む3人の「ゲノム編集ベビー」を誕生させたと発表したニュースは記憶に新しいだろう。

英タイムズ・ハイアー・エデュケーションが発表した20年の大学ランキングでは、アジア33位の評価を受けた。日本の東北大は30位、名古屋大が41位、東京工業大が42位であることを見れば、南方科技大の躍進ぶりは著しい。

南方科技大と同様、メイクブロックも当局の期待を担う「赤いダイヤ」の一つに成長している。

主力商品は、簡単に組み立てられるロボットのパーツと、スマートフォンで入力できるプログラミングソフトで構成されている。

パーツの組み合わせや、プログラミングの内容次第で、自分だけのロボットを作ることができる。ロボットやプログラミングの仕組みを楽しみながら学べるとして、中国よりむしろ海外で人気が爆発中だ。世界１４０カ国で製品を販売、日本ではソフトバンクと手を組んでいる。

創業から10年足らずで従業員数は５００人以上。本社内では社員が忙しそうに走り回っていた。ほとんどが20代だ。

「ようこそ、メイクブロックへ」

現れたのは細身の若い男性。

黒縁めがねをかけ、腕まくりした青いシャツという私服姿。

物静かな印象のこの男性が、メイクブロックを率いる王さんだった。

王さんの故郷は上海の西500キロに位置する安徽省安慶市の農村地帯。

航空機の設計士を夢見て内陸部に位置する陝西省西安市にある西北工業大学に入学し、設計技術などを学んだ。だが、学業よりも熱中したのが趣味で始めたロボットの設計だった。

「大学在学中から起業を考えていた。航空業界も考えたが、中国では国有企業が圧倒的に強い。勝負をするならロボットだ」

メイクブロック創業者・王さん

大学卒業後、王さんが向かったのが深圳だった。
まずは電子機器メーカーに就職した。プログラミングの技術を実社会で鍛えながら、会社運営のノウハウを学ぶためだ。
もう一つ理由があった。経済特区の深圳には全国から起業を目指す若者が集まり、それを支援するＶＣも多い。ここで起業すれば、投資資金を集めやすいとの狙いもあった。戦略は当たった。

いまや中国で最も注目される若手企業家の一人に成長した王さんは、連日新たな資金確保に奔走《ほんそう》し、メイクブロックのグローバル展開を進めている。

既に香港のほか、米国、欧州に関連会社を設立。日本では東京・秋葉原にメイクブロック・ジャパンを開設した。

「中国には夢を現実にできる土壌がある。だから中国の若者の多くが、起業を目指すんだ。私のようにね」

中国では1日1・7万社というペースで新しい企業が誕生している。日本の約50倍という驚異的な数だ。ほとんどは5年以内に廃業に追い込まれるが、一握りの成功者が新ビジネスを切り開き、中国経済に活力をもたらしている。

創業から10年以内で、企業価値が10億ドル（約1100億円）を超える有力企業を、欧州の神話に登場する伝説上の一角獣になぞらえて「ユニコーン」と呼ぶ。

米調査会社ＣＢインサイツによると、21年1月時点で世界のユニコーン企業は約500

社あるが、このうち中国企業は120社を超え、全体の4分の1を占めている。

その代表格が、ITベンチャー、北京字節跳動科技（バイトダンス）だ。音楽に合わせて踊ったり、口パクしたりする15秒程度の短い動画を公開できる動画共有アプリ「TikTok（ティックトック）」の運営会社だと言った方がわかりやすいかもしれない。

CBインサイツが算出したバイトダンスの企業価値は1400億ドル（約15・4兆円）にのぼる。

米テスラ創業者のイーロン・マスク氏が率いる宇宙開発ベンチャー、スペースX（460億ドル）など米国勢を圧倒し、世界最大のユニコーン企業として市場に君臨している。バイトダンスの創業は12年。創業者の張一鳴・最高経営責任者（CEO）は「天才プログラマー」と言われる技術者で、当局と距離を置く独自路線で同社を世界的な企業に育てあげた異色の経営者だ。

1983年、福建省竜岩市生まれ。中国で起業家の中心となっている「80後」（1980年代生まれ）の一人だ。南開大学（天津）でソフトウェア工学を学び、卒業後、複数のIT企業の立ち上げに参画した。

２０１２年3月にバイトダンスを設立した張氏は、そのわずか5カ月後、大ヒットアプリをリリースする。

ＡＩ（人工知能）を使い、膨大なネットコンテンツの中からスマホ利用者の趣向に合わせた情報を集め、配信してくれる無料ニュースアプリ「今日頭条（今日のヘッドライン）」だ。その利用者数は4億人以上とも言われる。

16年9月、「今日頭条」をさらに上回るメガヒットアプリが生まれる。15秒程度の動画を共有できる「抖音（ドウイン）」。この海外版が17年5月にリリースしたティックトックというわけだ。

ティックトックの世界の利用者数は20年7月時点で約6億８９００万人。中国発のサービスがここまで世界的な人気を得たケースは過去に例がない。バイトダンスの成功の大きさが理解できるだろう。

しかし、この成功がトランプ米政権に目を付けられる結果を招いた。

他の中国のハイテク企業同様、ティックトックにも「利用者情報が中国当局にすい上げられる恐れがある」との嫌疑をかけられ、米国事業売却を迫られるなどバイトダンスは米中の覇権争いに巻き込まれた。

かつてない困難に直面するバイトダンスだが、起業を志す中国の若者にとって同社が理想的な「成功例」と映っていることに変わりはない。

成功する中国のベンチャー企業には、共通した成長パターンがある。

①インターネットやスマホアプリを使った斬新なアイデアを持つ
②それがVCなど投資家の目に留まり、多額の資金を確保する
③それを元手に一気に事業を拡大し、市場で大きなシェアを握る

というものだ。

大きな夢とアイデアを持ち、起業を志す若者は多い。しかし、大半は②の壁を越えられないまま挫折に追い込まれる。

12年に「無二之旅（二つとない旅）」と名付けた旅行会社を北京に設立した王志遠さん（34）は、投資資金確保の「狭き門」を突破した一人だ。

北京大、清華大など中国を代表する名門校や、ハイテク企業が集積する北京・中関村地区。有力な企業を青田買いするVCも多く、起業を目指す若者たちが群がるベンチャー企業の「ふ化場」となっている。

15年春、王志遠さんは中関村に拠点を置くＶＣ「中関村大河資本」創業トップの王童さん（47）と向き合っていた。

大半の社員が20代という「無二之旅」のオフィス＝北京市で2018年

当時の中国の旅行はパックツアーが主流。一方で年に何度も海外旅行に行く富裕層も急増しており、「自分だけの旅行プランを組みたい」というニーズが高まっていた。

ただ、旅行会社にフルオーダーで旅行プランの作成を依頼すると高額なうえ、現地の人気レストランの情報などきめ細かな対応ができなかった。

ならば、あらかじめ旅先の詳細な情報を集めておき、ＡＩを使って顧客のニーズに合ったものだけを抜き出す形にすれば、簡単にフルオーダーのプランが組めるのではないか。

「私たちならＡＩを活用し、顧客に合わせた個人旅行プランを作成、格安で提供できます」

王志遠さんは中関村大河資本の会議室で実際にプランを作成してみせ、事業の将来性を訴え続けた。VCの王童さんから連絡があったのは、約3週間後だ。

「3000万元（約4・8億円）をあなたに投資することに決めました」

「無二之旅」が初めて巨額の資金調達に成功した瞬間だった。

北京市内にある古びたビルの小さなフロアで仲間10人と始めた会社はこれを機に事業を軌道に乗せた。現在は累計利用者40万人以上、社員数も300人を超えるまでに成長した。

「無二之旅」創立メンバーの雷涛さん

新しい旅行先も次々と開拓し、南極など個性的なプランも打ち出している。「無二之旅」が新しく本社を構えたのは北京市内にあるベンチャー向けの商業施設。オフィスの中央には大きな木のモニュメントが据えられている。社員の平均年齢は26歳。

社内には若さがあふれていた。

「オフィスの隣に人気の店があるんです。一緒に行きませんか？」

無二之旅のオフィスで、同社の創立メンバーの一人、雷涛さんが声をかけてくれた。店の名前は「楽純」。14年に創業したヨーグルト専門店で、既に国内に3店舗を展開しているという。

「ここも我々と同じように、立ち上げ早々、中関村大河資本から投資資金獲得に成功した企業なんですよ」

中国では昔から「酸奶」の名前でヨーグルトが食べられてきた。

楽純は中国で高まる健康志向に目をつけ、低温発酵させた無添加の高級ヨーグルトの販売を開始。パンやサラダなど低塩・低カロリーの食品を組み合わせた新メニューを次々と打ち出し、創業3年で黒字化を実現した。

18年にはコカ・コーラなど数社から「数億元」（1元＝約16円）という巨額資金調達にも成功。創業者の劉丹尼・最高経営責任者（CEO）は「中国の高級ヨーグルト市場はまだ発展の初期段階にある。そこにビジネスチャンスがある」と意気軒昂《いきけんこう》だ。

投資資金はベンチャー企業にとって、まさに「血液」だ。中国には2000を超えるVCがあると言われ、総投資規模で世界一の米国を猛追している。

資産規模300億元の中関村大河資本の場合、持ち込まれる事業計画は年間数千件。しかし、投資に見合う提案は20件に1件ほどだという。

王童さんは一日に何人もの若手経営者と面談するが、大半はその場で「投資はできない」と断りを入れる。

「我々が見るのはビジネスプランが時代に合致し、かつ経営者に夢を実現する熱意があるか。この2点を見れば、将来性は予想できる」

「無二之旅」の場合、「今後、さらに増加するであろう中国人の海外旅行ブームにマッチするサービスだと直感した」という。

ただ、直感がすべて正しい訳ではない。ベンチャー投資は「精査を重ねて投資をしても、大半が失敗に終わる」（中国VC幹部）リスクの高いビジネスだ。

19年には国内経済の鈍化のあおりを受け、中国IT業界に不況風が吹き、多くのIT系ベンチャーが倒産に追い込まれた。

それでもVCが巨額の資金を注ぎ込み続けるのは、投資対象がバイトダンスのようなユニコーンに成長すれば「カネのなる木」となるチャンスを秘めているためだ。

「中国では今後10年以内に、100億元（約1600億円）以上の企業価値を持つ新ブランドが100以上、誕生すると見ている」

王童さんとともに中関村大河資本を立ち上げた劉志碩さんは「楽純のような成長企業に継続的に投資していければファンドも未来も明るくなる」と自分を鼓舞するように語った。

成功を夢見る中国の若者と、ユニコーン候補を買いあさるVC。その両者が演出する起業熱を、陰であおっている存在がある。中国政府だ。

米国との貿易戦争やコロナ禍で国内経済の不透明感が強まる中、経済の新たなけん引役探しは当局にとっても切実な課題だ。

「基礎研究とイノベーションを支援するため『双創』をさらに進めていく」

李克強首相は20年9月17日に開いた政府の重要会議で、国内経済の再活性化に向け、檄《げき》を飛ばした。

「双創」とは、李首相が14年9月の夏季ダボス会議で提唱した「大衆創業、万衆創新（大衆による起業、万民による技術革新）」政策の通称だ。国内の起業の動きを支援することで、先端技術開発を刺激する狙いがある。

翌年に発表されたハイテク産業育成策「中国製造2025」にも「創新駆動（イノベーションをエンジン役とする）」が五つの基本方針の筆頭に掲げられた。ベンチャー企業の育成もまた中国の重要な国家プロジェクトの一つと位置づけられている。

海外の大学や企業に在籍する中国人の帰国支援、企業の成長段階に応じた多彩な補助金、数々の税制優遇措置――。中国政府が並べたベンチャーの支援メニューは400を優に超える。

有力VCの多くも、地方政府や国有企業から資金の潤沢《じゅんたく》な供給を受けている。中国のVCがリスクの高い投資を続けられるのも当局という絶大な支援者がいるおかげだ。

「政府の後押しが、現在の起業ブームを支える大きな要因となっているのは間違いない」

中関村大河資本の王童さんも認める。

資金面だけでなく、当局は起業を促す「場」の提供にも力を入れている。

中国国内には、起業を希望する若者とVCのマッチングを行う「インキュベーター（ふ化場）」が4000以上もあるという。

ベンチャー企業に物づくりに必要な施設や工作機械を提供する「ワーキングスペース」

も5000カ所を超える。

深圳にある「柴火メーカーズ」は中国でも最大規模のインキュベーター・ワーキングスペースだ。起業を目指す1万人以上が登録しており、15年には李首相が視察に訪れ、同社の名誉会員になった。

深圳のワーキングスペース「柴火メーカーズ」＝2018年

メイクブロックの王建軍さんも創業当時はこの一角を借り、事業をスタートした。柴火メーカーズのホームページには、主な出身者として王さんが紹介されている。

筆者が柴火メーカーズを訪ねた際、作業スペースの一角で商品の試作を続けている男性に出会った。なんと日本人だ。

神戸市出身の池村昇悟さん（32）。話し声から相手の感情を分析できるアプリと機器を開発したいと深圳に乗り込んできたばかりだという。

池村さんが深圳を選んだのも王建軍さんと同じく、

VCなどが多く集まる環境に魅力を感じたからだ。「現場力」に優れた深圳であれば、自分のアイデアを具体的な製品として形にしてくれる業者を見つけやすいとの期待もあった。

「スマホアプリや交流イベントを通じ、起業家やVCとどんどんつながりができていく。深圳を選んで正解でした」

かつて起業を試みる世界中の若者にとって「聖地」は米国のシリコンバレーだった。VCやインキュベーターが多く、「成功」のきっかけが街中にあふれていたためだ。

深圳で起業を目指す池村さん

しかし、今はチャイナドリームを求めて世界中の若い起業家が中国を目指し始めている。柴火メーカーズの登録者のうち、3割は池村さんのような外国人だという。

深圳だけではない。中国では北京、上海など各地に第2、第3の中国版シリコンバレーが続々と誕生している。

中国のベンチャーの大半はインターネットなどを活用したＩＴ企業。興味深いのは、都市によってベンチャーの傾向が異なることだ。「貴安新区」を中心にビッグデータの拠点となっている貴州省では、やはりベンチャーもビッグデータ関連に偏る傾向にある。

貴安新区で15年に創業した「人和数据（人とデータ）」社は住民や労働者の個人データを収集、分析し、社会保障や労務管理を効率化するソフトを開発している。

「人和数据（人とデータ）」社の胡耀副社長＝貴州省「貴安新区」で2019年

「なぜ、貴州を選んだのか」

胡耀副社長に聞くと「我が社の事業成功のカギは、いかに多くのデータを収集できるかにある。貴州であれば地元政府の協力を含め、データ収集面でのメリットが大きい」

同じく15年設立の「貴州車秘科技」は深刻化する駐車場不足に目をつけ、市内の駐車場の空車情報をデータ化し、運転手とマッチングするスマホアプリを開発した。

創業者の張友さんは「貴州で成功モデルを作れば、他地域に進出した際もアピールしやすい。ビッグデータを活用するベンチャーとして箔がつく」と説明する。

貴州からは、トラック配車アプリを手がける「満幇集団」や、ネット経由で医療・健康相談が受けられる「39健康ネット」を運営する「朗瑪情報技術」など、国内市場で高いシェアを獲得した有力ベンチャーが続々と生まれている。

こうしたベンチャーの「ふ化場」が全国に散らばっているのが中国の最大の強みだ。

「中国の起業熱には二つの要因がある」

こう指摘するのは、中国の起業事情に詳しい対外経済貿易大学（北京）の西村友作教授だ。

一つは、技術革新を起こしたい中国当局や地方政府が資金面や規制緩和を通じ、ベンチャーの育成を奨励していること。

もう一つは、そうした環境をチャンスと捉え、リスクを恐れずに挑戦する人材が大勢いることだ。

西村教授は「この相乗効果が中国の起業熱を高め、中国全土を新技術の『実験場』に変えた」と指摘する。

政府がたきつけ、民間が躍る中国のベンチャー業界。

しかし、近年、不穏な動きも広がっている。

①斬新なアイデアで、②多額の投資資金を獲得し、③大きな市場シェアを握った「成功の方程式」を実現したはずの有力ベンチャーがつまずく事例が相次いでいることだ。

15年に中国でサービスが始まった「シェアリング自転車」のケースはその典型だ。街中にある自転車を自由に使い、好きな場所で乗り捨てられる便利さが受け、サービスは瞬く間に中国一円に普及した。

投資家もシェア自転車メーカーに群がり、莫大な資金獲得に成功した大手は日本を含む海外にも進出。「中国発のニュービジネス」として期待を集めた。

シェア自転車の「墓場」＝天津市内で 2019 年

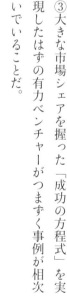

瞬く間に中国最大のコーヒーチェーンになった「ラッキンコーヒー」＝北京市内で2020年7月

しかし、現在、シェア自転車業界は構造的な赤字に苦しんでいる。各社が手にした資金で割引競争を繰り広げた結果、自ら経営体力を削っていったことが原因だ。中国には運営会社が倒産し、用済みになった大量の自転車が放置された「自転車の墓場」があちこちにできている。

創業からわずか2年のうちに中国国内の店舗数で、それまで首位だった米スターバックスを抜き、中国最大のコーヒーチェーン店に成長した「ラッキンコーヒー（瑞幸珈琲）」も厳しい状況に追い込まれている。

注文・支払いはスマートフォンのアプリでオーケー。テイクアウト主体のため店舗スペースは最小限で済むというのが同社のビジネスモデルだ。毎日のように割引クーポンを発行し、客の「お得感」をあおった戦略も当たり、一気に人気を定着させた。19年には米ナスダック市場に上場し、絵に描いたようなサクセスストーリーを歩いてきた。

だが、ラッキンコーヒーもシェアア自転車と同じ「罠《わな》」にからめとられた。集めた投資資金を採算を度外視した割引サービスや店舗拡大につぎ込んでいったのだ。

ヒットビジネスには模倣者がつきものだ。このため、多額の資金を手にした中国の有力ベンチャーの多くは黒字化よりも先にライバルの駆逐《くちく》にかかる。

その常とう手段が激しい割引合戦だ。ライバルを値下げ競争に巻き込んで体力を奪い、市場から退場を迫る作戦だ。「市場を寡占化《かせんか》してしまえば、あとで利益はいくらでも回収できる」。こんな計算が透けてみえる。

ただ、そんな無茶な経営が続けられるのは、赤字を穴埋めする投資資金が常に入り続けることが前提になる。投資資金が途絶えれば、自転車操業はたちまち破綻《はたん》に追い込まれる。

ラッキンコーヒーは19年12月期の売上高を水増しして急成長を演出していたことが発覚、米ナスダック市場で上場廃止に追い込まれた。

架空計上で成長を演出してきた手法が崩れた以上、これまでのような資金調達は期待できない。ラッキンコーヒーは今、「苦い」現実に直面している。

「中国の起業家は目先の利益を追うケースが多い。革新的な事業を打ち出す起業家は米国に比べてまだまだ少ない」

次代のユニコーンを目指すメイクブロックの王建軍さんは中国の起業家の問題点を、こう分析する。

中国の起業家は大学などで専門知識を学んだ技術畑出身者と、米国でＭＢＡ（経営学修士）を取得するなど海外で留学、就業を経験した後、中国に戻ってきた「海亀」と呼ばれる帰国組が多い。

上海に拠点を置くＶＣ関係者は「あくまで個人的な印象」としてこう説明してくれた。

「『海亀』のように経営に対する深い知識を持つ人間ほど、投資資金の獲得競争などマネーゲームにのめり込みやすい。結果、本業をおろそかにし、せっかくのアイデアを台無しにしてしまうケースをこれまで何度も見てきた」

夢を持ち、起業する大量のベンチャー企業の中から、世界に駆け出していくユニコーンが今後、どれだけ生まれてくるか。官民で盛り上がる起業戦略の成否は、中国経済の浮沈にも直結しかねない。

後書きに代えて
「中国で今、何が起きているのか」

中国には「韜光養晦《とうこうようかい》」という言葉がある。才能を隠し、じっくり実力を養いながら時期を待て、という意味だ。これを中国外交の基本方針に据えたのが当時の最高実力者、鄧小平氏だった。1989年の天安門事件で国際社会の強い批判をあびて孤立を深める中、海外との摩擦を可能な限り避けながら、経済など国力の充実を図る「現実策」だったと言える。

しかし、2010年に国内総生産（GDP）の規模で日本を逆転するなど、中国が国際社会で徐々に存在感を高めていくと「韜光養晦」外交は変容し始めた。

決定的なのは、13年に国家主席に就任した習近平氏の登場だ。習氏は技術力で世界をリードする「製造強国」を目指すと宣言。15年にはその具体的な工程表となるハイテク産業育成策「中国製造2025」を打ち出した。

息をひそめる時代は過ぎ、米国への対抗心をあらわにした格好だ。

こうした状況で登場してきたのが、米国のトランプ大統領だった。トランプ氏は「中国が米国から雇用を奪った」と米国に浸透する中国製品に批判の矛先を向け、「米国企業の技術が中国に盗み取られている」と知的財産権侵害を主張した。

18年7月には貿易不均衡や知的財産の侵害を理由に、中国から輸入した製品に追加関税を課す対中制裁措置を発動。これに対し中国も即座に報復に踏み切り、世界第1、2位の経済大国同士による泥沼の貿易戦争に突入した。

米中が経済の覇権を争い、対立を深める中、その最前線であるハイテク産業が主戦場となったのは、むしろ当然と言える。

トランプ氏は急成長する中国のハイテク産業を叩くため、個別企業をやり玉にあげ、米国企業との取引禁止など苛烈《かれつ》な制裁措置を次々と課していった。

制裁理由に挙げたのは、こんな理屈だ。

「中国企業の製品を通じて米国の情報が不当に盗み出され、中国政府のスパイ活動などに利用されている」

「情報が盗まれている」と言いながら、米国は証拠を一切、示していない。

中国政府は「強盗の論理だ」と強く反発してみせたが、米国の中国企業排斥に一定の根拠を与えてしまった遠因は中国自身にある。

「赤いダイヤ」を求めて中国中を走り回った結果、実感したのは中国共産党、中国政府といった「当局」の意向が、あらゆる場面で優先される中国の構造的な問題だ。「中国製造２０２５」で重点分野に選ばれた産業は有無を言わさず国家プロジェクトと位置づけられ、多額の資金が注ぎ込まれる。民間企業もいや応なしに計画に組み込まれていく。

重点分野だけではない。ドローンのように民間が中心となって花開いた新産業にも当局の手が伸びていく。

米国からすれば「中国企業と当局は一体だ」としか見えないだろう。

中国当局にとって最大の関心事は国内の治安維持にある。過剰とも思える監視カメラなどを使った個人情報の収集体制も、当局に悪影響が及ぶ事態を未然に防ぎたいからだ。

治安維持のために重要になるのが情報の統制だ。政府批判など都合の悪い情報を国民から遠ざけるため、中国は「金盾」と呼ばれる独自のインターネット規制を敷き、当局が認定したサイト以外にはアクセスできない状況を作り上げている。

17年に施行した国家情報法では、国民や民間企業に対し、政府の情報収集への協力を義務づけた。

中国当局による香港の統制を強化する「香港国家安全維持法（国安法）」にも「インターネットなど国家の安全に関わることに対し必要な措置を取り、管理を強化する」ことが明文化された。

影響を懸念して香港に拠点を置く海外企業がサーバーを香港以外に移転するなど悪影響が広がっているが、当局が気にしている様子はない。

中国政府の元高官は筆者に「国安法は治安維持のために必要な法整備をしただけで、経済の問題だと捉えるべきではない」と強調したが、海外でこの理屈を受け入れる人はほとんどいないだろう。

「中国政府に利用者情報を提供したことはないし、政府から要請されたこともない。要請があっても応じるわけがない」

トランプ政権の標的になった中国通信機器大手、華為技術（ファーウェイ）や、動画共有アプリ「ＴｉｋＴｏｋ（ティックトック）」を展開する北京字節跳動科技（バイトダンス）はこう反論している。

しかし、中国当局が治安維持のために導入した法整備やシステムの存在そのものが、民間企業側の反論から説得力を奪っている。

当局が強く関与する中国の経済戦略は一定の成果を挙げることには成功したが、同時に大きなリスクを自ら招き入れる皮肉な結果をもたらした。

米国との覇権争いが激化し、その実害が中国の民間企業にも広がろうとも、当局が「赤いダイヤ」探しをやめることはないだろう。

米中対立が引き起こした負の側面の一つに、世界的なデカップリング（分断）の拡大がある。

ファーウェイが技術で先行する新世代通信規格「5G」を例にとると、わかりやすい。米政府は情報流出のリスクを訴え、友好国にも「ファーウェイ排除」を働きかけている。この結果、米国だけでなく日本や欧州でもファーウェイ製品の事実上の締め出しの動きが拡大している。

一方、アジアや南米、アフリカなど新興国市場では、高性能で価格が安いファーウェイ製品の人気はいまだ健在だ。5G市場では既にファーウェイ製品の使用をめぐって米中二つの陣営にデカップリングが生じているのが現実だ。

ファーウェイは米国の制裁を受け、外国製半導体の入手が困難な状況に追い込まれた。米国との分断が進めば進むほど中国企業は同様の壁に直面することになるだろう。対応するには基幹部品の米国依存度を下げ、自力調達の水準を上げていくしかない。つまり中国の独自技術など「赤いダイヤ」の重要性が今後、ますます上がっていくということだ。筆者が中国政府の発掘熱がさらに高まるとみる根拠はここにある。

中国経済における当局の意向は大きい。

しかし、「赤いダイヤ」を実際に生み出しているのは当局ではない。企業だ。「赤いダイヤ」の取材を始めるにあたり、筆者はこの本のタイトルにもあるように「当局と企業が一体となり、新技術の開発に突き進む異形の経済大国」を描くつもりだった。だが、実際に現場をまわり、企業の声を聞き、専門家と意見を交わすうち、その見方は徐々に変わっていった。

企業が「赤いダイヤ」を必死に探し続けるのは当局のためだけではない。その目線の先にあるのはあくまで市場であり、いかにシェアを高め、利益を上げるかという企業人の顔だ。

中国企業同士の激しい競争環境が様々なアイデアを生む源泉となり、それがやがて中国経済全体のけん引役となっていく。こうした好循環が中国経済の強さにつながっているという点を見落としてはならない。

競争を勝ち抜くため知恵を絞る姿勢に、国の違いはない。

その一方で、「中国ならでは」と思えるものも確かにある。

たとえばアイデアを実用化するスピードの速さだ。

これは当局の意向というよりも、中国のハイテク技術を先導する企業の構造に起因していると思われる。

中国ＩＴ業界ではもはや古株と言えるファーウェイでさえ、創業は１９８７年。「ＢＡＴ」を呼ばれるネット検索大手、百度（２０００年創業）、ネット通販最大手アリババ集団（１９９９年）、対話アプリ「微信（ウィーチャット）」を展開する騰訊控股（テンセント、98年）はどれも20年程度の歴史しかない。

世界最大のドローンメーカーＤＪＩ（２００６年）や、バイトダンス（12年）のように21世紀になってから創業した企業も、中国経済のけん引役に飛躍している。

こうした若い企業では一代で巨万の富を手にした創業者がいまだ経営の最前線に立って

いる。即断即決の決定の早さと、困難な状況をもがむしゃらに乗り越える突破力が中国経済に勢いを生んでいるのは間違いない。

中国はかつて「世界の工場」と呼ばれる一大生産拠点となり、現在は世界有数の巨大消費市場として国際社会で存在感を高めている。

中国といかに関わっていくかは日本企業にとって常に重要な課題だ。

中国と日本とでは企業の生い立ちも、政府と産業の関わり方もまるで違う。「赤いダイヤ」の発掘手法も「日本ではとてもマネできない」との見方もあるだろう。

しかし、中国から日本が学ぶべきものは多い。

ある中国IT企業のトップに、こんな質問をしたことがある。

「急成長している中国企業から見て、現在の日本企業に欠けているものは何ですか」

少し考えた後、返ってきたのはこんな答えだった。

「中国では『儲かりそうだ』となれば、たとえそれが法律すれすれでも何とか実用化しようともがく。日本企業は『無理だ』とはなから諦めてしまう。中国と日本の大手企業に技術力の大きな差はない。差があるとすれば、企業にアニマルスピリットがあるかないかだ」

大ブームとなったシェア自転車は路上駐車を前提にしたビジネスだ。繁華街の歩道は大量の自転車で埋め尽くされ、当局や市民から「社会公害だ」と猛烈な批判をあびた。

これを受け、業者側は散乱した自転車を整理し、決められた整理スペースに運搬する作業員を大量に雇い入れ、何とか社会と折り合いをつけた。ブームの火付け役となった業者の多くは過当競争で姿を消したが、シェア自転車のサービス自体は中国大手企業の傘下で今も生き続けている。

バイトダンスが初めてヒットを飛ばしたニュース配信アプリ「今日頭条」も内容や利用者の投稿機能がたびたび当局に目を付けられ、何度も処分を受けてきた。しかし、そのたびに粘り強く当局と交渉し、今でも中国有数の人気アプリとして配信を継続している。

企業だけではない。大勢の若者が起業を目指すのも「アニマルスピリット」の表れだろう。

まずは行動し「トライアル・アンド・エラー」を繰り返しながら品質を向上させていく。むき出しの資本主義の姿がそこにある。

こうした地道な作業の中から生み出された「赤いダイヤ」の原石を当局が政策で支援し、

世界と戦う武器へと磨き上げていく。この好循環が中国の産業政策の最大の強みだ。

しかし、ここにきて中国は自らその「強み」を捨てようとしているように見える。

中国当局は現在、ＩＴ業界やドローンなど新興民間企業に対する介入を強めている。米国をしのぐ「強国」になるためには、党・政府の「主導権」をさらに強化し、マネーゲームに興じる民間企業を「導く」必要がある――。当局はこう考えている節がある。

習氏は中国の「核心」として国内で絶大な権力を手に入れた。米国も警戒するほどの高度なハイテク産業を育て上げ、欧米がいまだ手をこまねいているコロナ禍も乗り切ってみせた。自らの実績に対する自信が民間企業に対する当局の優越感を生み、介入につながっているのだろう。

だが、それは「金の卵」を自ら捨てる行為だ。

中国経済を高度経済成長に導いたのは当局の指導力だけが要因ではない。欠かせないのは厳しい規制の隙間をかいくぐり、時に当局と対立しながらも激しい競争を繰り広げてきた民間企業の「熱」だ。

企業同士の競争というダイナモがあるからこそ、当局主導の産業政策に推進力が生まれ、官民が融合した不思議で、いびつな中国の現在の姿が形作られてきた。

「官」の実績におごり、「民」の力を過小評価する政策を続ければ、中国は再び計画経済で味わった停滞の時代に逆戻りする恐れがある。

果たして中国経済はどこへ向かうのか。それを知るには、現場を地道に回り続けるしかない。

「赤いダイヤ」を探す旅は続く。

◎本書は２０１８年10月から２０１９年12月まで、毎日新聞に掲載された「赤いダイヤ　未来産業最前線」に加筆、再構成したものです。

◎著者紹介
赤間清広（あかま・きよひろ）
1974年、仙台市生まれ。宮城県の地元紙記者を経て2004年に毎日新聞社に入社。気仙沼通信部、仙台支局を経て2006年から東京本社経済部。霞が関や日銀、民間企業などを担当後、2016年4月から中国総局（北京）で特派員を務めた。2020年秋に帰国し、経済部で税財政、国際経済などを担当している。

中国《ちゅうごく》　異形《いぎょう》のハイテク国家《こっか》

印　刷　2021 年 3 月 10 日
発　行　2021 年 3 月 30 日

著　者　赤間清広《あかまきよひろ》
発行人　小島明日奈
発行所　毎日新聞出版
〒 102-0074　東京都千代田区九段南 1-6-17　千代田会館 5 階
営業本部：03（6265）6941
図書第二編集部：03（6265）6746

印刷・製本　中央精版印刷

ISBN978-4-620-32679-5